Colette Samson

Amis 2 et compagnie

Livre de l'élève

www.cle-inter.com

PROJET DE L'UNITÉ : SE PRÉSENTER DANS LE CADRE D'UNE INTERVEW

C'est moi !

1 Écoute et regarde ! Qui parle ? Montre les personnages !

Image 1

Max : Bonjour ! Je m'appelle Max. Ça va ? J'ai 15 ans et je dessine beaucoup. Voici Léa : elle a 12 ans et elle lit beaucoup !

Image 2

Léa : Ah... bonjour ! Comment ça va ? Là, c'est Théo : lui, il a 14 ans et il adore la musique !

Théo : Salut ! Oui, la musique, c'est vraiment super !

Image 3

Théo : Et voilà Agathe : elle a 13 ans et c'est la reine de la photo et de la vidéo !

Agathe : Hé hé ! Vous allez bien ?

Image 4

Agathe : Tu sais, dans ton livre de français, il y a les dessins de Max, les musiques de Théo, mes photos et une histoire...

Image 5

Agathe : Euh... Léa ? Qu'est-ce que tu lis ?

Léa : « Les Misérables » de Victor Hugo !

Max, Théo, Agathe : Ouh là là...

Léa : C'est un livre génial !

2 Coche la phrase ou les phrases qui sont vraies pour toi ! Puis présente-toi !

- ☐ **1** J'aime la télévision !
- ☐ **2** J'aime le sport !
- ☐ **3** J'aime la danse !
- ☐ **4** J'aime le cinéma !
- ☐ **5** J'aime la musique !
- ☐ **6** J'aime les animaux !
- ☐ **7** J'aime l'école (le collège, le lycée) !
- ☐ **8** J'aime les jeux vidéo !
- ☐ **9** J'aime ma famille !
- ☐ **10** J'aime le français !
- ☐ **11** J'aime les livres !
- ☐ **12** J'aime le chocolat !
- ☐ **13** J'aime mes amis, mes copains !
- ☐ **14** J'aime ma ville (mon quartier) !
- ☐ **15** J'aime les fêtes !
- ☐ **16** J'aime ... !

→ Bonjour ! Je m'appelle ... . J'ai ... ans. J'aime ... et ... !

3 Écoute et observe bien ! Puis présente Pierre ou Pauline !

Bonjour ! Moi, c'est Pierre ! J'ai 13 ans.
Mon anniversaire, c'est le 25 avril.
Mes cheveux sont noirs et j'ai les yeux marron.

J'ai deux sœurs.
Je n'ai pas d'animal, mais je voudrais un chien !

J'adore le poulet, les gâteaux et la glace !
J'aime faire la cuisine et surfer sur Internet.

Je vais au collège en bus ou à vélo.
Ma matière préférée, c'est les maths !

Salut ! Je m'appelle Pauline ! Moi, j'ai 12 ans.
Je suis née le premier septembre.
J'ai les cheveux blonds et les yeux bleus.

Je suis fille unique :je n'ai pas de frère et je n'ai pas de sœur.
Moi, j'ai une perruche !

J'aime la pizza et la crème caramel !
J'adore faire du jogging et écouter de la musique.

Je vais au collège à pied.
Je n'aime pas trop le collège, mais j'adore mes copains et mes copines !

Couleurs :
blanc – bleu – gris – jaune – marron – noir – orange – rose – rouge – vert – violet...
Cheveux : blancs – blonds – bruns – châtains – gris – noirs – roux...
Yeux : bleus – gris – marron – noirs – verts...

4 Présente-toi et présente ta famille !

J'ai les cheveux ... et les yeux ... .
J'ai une sœur : elle a les yeux ... .
Mon frère a ... ans. Il a les cheveux ... .
Mon père a ... ans. Il est (grand).
J'ai un (chat). Il a ... ans. Il est (noir et blanc).

5 Parle de tes goûts, de tes matières et de tes passe-temps !

J'adore ... .
J'aime ... .
Je préfère ... .
Je n'aime pas ... .
Je déteste ... .

Passe-temps :
dessiner – écouter de la musique – faire du sport – faire la cuisine – faire du vélo – faire du jogging – jouer au football – jouer à l'ordinateur – regarder la télévision – surfer sur Internet – travailler – etc.

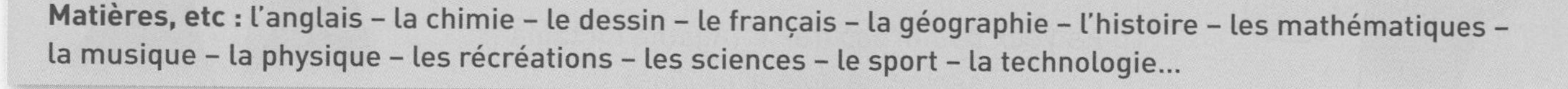

Matières, etc : l'anglais – la chimie – le dessin – le français – la géographie – l'histoire – les mathématiques – la musique – la physique – les récréations – les sciences – le sport – la technologie...

1 Phonétique → L'accent de durée [ˈ] : Écoute et répète les mots !

Un sand ˈwich [œ̃ sɑ̃d ˈwitʃ] – un croi ˈssant [œ̃ kʀwa ˈsɑ̃] – du fro ˈmage [dy fʀɔ ˈmaʒ] – de la sa ˈlade [dəla sa ˈlad] – des to ˈmates [dɛ tɔ ˈmat] – du gâ ˈteau [dy ga ˈto] – du choco ˈlat [dy ʃɔkɔ ˈla] – du cara ˈmel [dy kaʀa ˈmɛl] – j'ai ˈfaim ! [ʒɛ ˈfɛ̃]

Fais bien « durer » la dernière syllabe !

2 Phonétique → Les groupes rythmiques [/ … /] : Écoute et répète les phrases !

Regroupe bien les mots et fait « durer » la dernière syllabe du groupe ! Plus tu parles vite, moins tu fais de pauses !

1 Je ˈveux / un sand ˈwich.// → Je veux un sand ˈwich.//
2 Je vou ˈdrais / un croissant au fro ˈmage.// → Je voudrais un croissant au fro ˈmage.//
3 Je peux a ˈvoir / de la salade de to ˈmates ?// → Je peux avoir de la salade de to ˈmates ?//
4 J'aime ˈbien / le gâteau au choco ˈlat / mais je pré ˈfère / la crème cara ˈmel.// → J'aime bien le gâteau au choco ˈlat / mais je préfère la crème cara ˈmel.//

3 Écoute et répète !

J'ai faim ! – J'ai soif ! – J'ai froid ! – J'ai chaud ! – Je suis triste ! – Je suis fatiguée !

A 
B 
C 
D 
E 
F 

4 Note les lettres, écoute et associe ! Tu as deux écoutes ! Exemple : A-3

1 
2 
3 
4 
5 
6 

Maintenant, raconte ! Exemple : **A :** Elle a faim : elle voudrait manger ! **À toi !**

aller à la piscine	s'amuser	boire	bouger	dormir	~~manger~~

5 Écoute et chante le rap de Théo !

Tu veux regarder la télé ?
- Désolée, je dois travailler !

Tu veux aller faire du vélo ?
- Désolée, je dois prendre le métro !

Tu veux venir pour mon anniversaire ?
- Je dois aller chez ma grand-mère !

Tu ne veux pas m'écouter ? (Agathe ! À table !)
- Désolée, je dois aller dîner !

PROJET

1 Regarde et écoute ! Puis réponds !

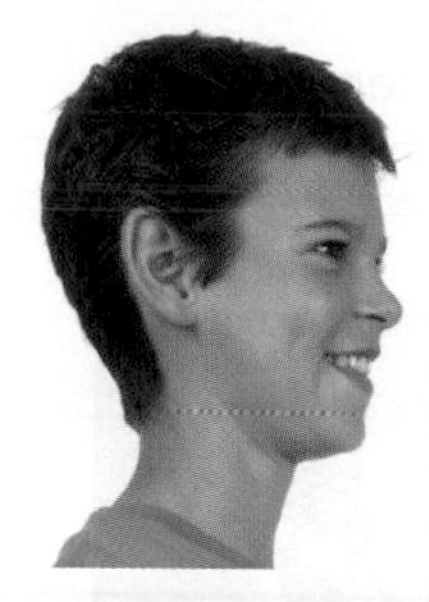

Tu habites où ?

J'habite à Paris, à côté de la tour Eiffel ! Et toi ?

Moi, j'habite à Versailles, au château !

... Ah oui ?!

Hugo habite **à** Versailles. Juliette habite **à** Paris.	Hugo vient **de** Versailles. Juliette vient **de** Paris.
Et toi, tu habites où ?	**Et toi, tu viens d'où ?**
→ J'habite **à** ... (nom de la ville).	→ Je viens **de** ... (nom de la ville).

2 Écoute et lis l'interview de Ziggy Starpop ! Puis réponds aux questions !

Génial ! Extra ! Super !

ZIGGY STARPOP RÉPOND ENFIN À NOS QUESTIONS !

☆ Bonjour Ziggy ! Ça va ?
Oui. Je vais très bien, merci !

☆ Vous habitez où ?
J'habite en France ! J'aime la France ! Mais je vis aussi au Japon, aux Pays-Bas et un peu en Australie ! J'aime aussi beaucoup faire du cheval en Argentine, faire du vélo au Kenya ou aux États-Unis, nager en Finlande, faire du ski au Canada ou en Russie, danser au Portugal, chanter au Qatar ou faire du jogging en Chine !

☆ Waouh, vous êtes très sportif, Ziggy ! Euh… vous venez d'où ? des Pays-Bas, du Canada, de Finlande ou… d'Espagne ?
Non, non, je viens d'Uruguay : je suis né à Montevideo !

☆ Merci Ziggy ! Alors, à bientôt en Uruguay ou… à Paris ?
Rendez-vous en Azerbaïdjan pour mon prochain concert ! Salut !

1 Beaucoup de noms de pays en **–*e*** sont des noms féminins. Repère les noms de pays féminins dans l'interview de Ziggy ! Il y en a combien ? ... Cite-les ! ... (Exemples : *la France*, *l'Australie*...)
2 Quelle est la préposition utilisée avec ces noms : ***à***, ***en***, ***au*** ou ***aux*** ? ...
3 Regarde maintenant les noms de pays masculins. Cite les noms au singulier ! ... (Exemple : *le Japon*...) Cite les noms au pluriel ! ... (Exemple : *les Pays-Bas*...) Cite les noms qui commencent par une voyelle ! ... (Exemple : *l'Uruguay*...)
4 Quelles sont les prépositions utilisées avec ces noms masculins : ***à***, ***en***, ***au*** ou ***aux*** ? ... Explique (dans ta langue) !
5 Avec *venir*... (*je viens*...), quand est-ce qu'on emploie ***du***, ***de***, ***d'*** et ***des*** ? Explique dans ta langue !

Ziggy habite **en** France.	Il vient **d'**Uruguay.
Et toi, tu habites où ?	**Et toi, tu viens d'où ?**
→ J'habite **en (au, aux)** ... (nom du pays).	→ Je viens **du (de, d', des)** ... (nom du pays).

Les Misérables

Écoute et regarde la BD de Max ! Puis décris Jean Valjean, son aspect, ses vêtements !

1. Toulon : *une ville près de Marseille, au bord de la mer Méditerranée, à plus d'une centaine de kilomètres « à vol d'oiseau » de la petite ville de Digne en Provence.* – 2. un forçat : *un criminel condamné aux travaux forcés.* – 3. un bagne : *un établissement pénitentiaire (une prison) où sont internés les forçats. Le bagne de Toulon fut le plus grand bagne de France. Il disparut en 1873. On y employa 4000 forçats aux travaux les plus pénibles sur le port ou dans les carrières de pierre.* – 4. le chandelier : – 5. le couvert :

Consignes de classe

Coche les phrases ! *Présente-toi !* *Lis l'interview !* *Raconte !*

Communication

Tu as révisé comment…

■ **saluer, te présenter :**
Bonjour ! Salut ! (Comment) ça va ? Vous allez bien ?
Au revoir ! Je m'appelle … Moi, c'est …

■ **dire ton âge et ta date d'anniversaire :**
Moi, j'ai 12 (douze) ans.
Mon anniversaire, c'est le … . Je suis né(e) le … .

■ **présenter tes amis, ta famille, tes animaux :**
Voici Léa. Là, c'est Théo. Et voilà Agathe.
J'ai deux sœurs. Mon frère a 18 (dix-huit) ans.
J'ai une perruche. Moi, je n'ai pas d'animal.

■ **exprimer tes goûts, parler de ton emploi du temps et de tes activités :**
J'aime les livres. Ma matière préférée, c'est les maths.
Je déteste dessiner. J'adore le fromage.

■ **te décrire et décrire quelqu'un :**
J'ai les cheveux noirs. Ses yeux sont bleus.

■ **décrire tes sensations :**
Je suis fatigué(e). J'ai froid. J'ai faim.

Tu sais maintenant…

■ **exprimer l'obligation, le désir, la possibilité ou capacité de faire quelque chose :**
Je dois travailler. Je voudrais manger.
Vous pouvez dormir ici. Je peux payer.

■ **dire où tu habites (ville et pays) :**
Tu habites où ?
J'habite à Montevideo. J'habite en Uruguay.

■ **dire d'où tu viens (ville et pays) :**
Tu viens d'où ?
Je viens de Toulon. Je viens du Canada.

■ **exprimer un ordre, un souhait :**
Va-t'en !
Bonne nuit !

■ **accueillir quelqu'un :**
Entre ! Entrez !
Tu es (vous êtes) le (la) bienvenu(e) !

■ **t'excuser :**
Désolé(e) !

Vocabulaire

Révisions

Famille et animaux	Affaires personnelles	Activités et passe-temps	Matières scolaires
Aspect physique	Couleurs	Nourriture	Sensations

Noms de pays

l'Argentine *(f.)*	la Chine	la France	le Portugal
l'Australie *(f.)*	l'Espagne *(f.)*	le Japon	le Qatar
l'Azerbaïdjan *(m.)*	les États-Unis *(m. pl.)*	le Kenya	la Russie
le Canada	la Finlande	les Pays-Bas *(m. pl)*	l'Uruguay *(m.)*, etc.

Noms, verbes et adjectifs

le copain	*chanter*	*nager*	*bienvenu(e)*
la copine	*danser*	venir (de)	*désolé(e)*
le forçat			

Certains mots n'ont pas été l'objet d'un entraînement systématique et n'apparaissent pas ici. Ils sont toutefois indiqués en italique quand ils seront ou pourront être réutilisés plus tard.

Grammaire

Les verbes *devoir, pouvoir, vouloir* + infinitif (rappel)

Tu veux regarder la télé ? – Désolée, je dois travailler !
Vous pouvez dormir ici.

Le conditionnel de politesse (rappel)

Je **voudrais** un croissant au fromage. Je **voudrais** aller à la piscine.

Les noms de pays

Le genre des noms des pays

Les noms de pays en **–e** *sont féminins :* l'Algérie, l'Autriche, la Belgique, la Bulgarie, la Colombie, l'Égypte, la Grèce, l'Inde, l'Italie, la Pologne, la Roumanie, la Suisse, la Syrie, l'Ukraine, la Turquie, *etc.* (*Voir aussi page 8.*)

Exceptions : **le** Cambodge, **le** Mexique, **le** Mozambique, **le** Zimbabwe

***Les prépositions* en, au, aux** *expriment la localisation (quand on habite ou quand on va dans un pays) :*

- **en** + *nom de pays féminin /ou nom de pays masculin commençant par une voyelle* : J'habite **en** Suisse. Elle va **en** Iran.
- **au** + *nom de pays masculin* : Nous vivons **au** Brésil. Tu pars **au** Mali.
- **aux** + *nom de pays pluriel* : Ils sont **aux** États-Unis. Vous allez **aux** Philippines.

Rappel → à + *nom de ville* : J'habite **à** Paris. Je vais **à** Montevideo.

***Les prépositions* du, de, d', des** *expriment la provenance, l'origine (quand on vient d'un pays) :*

- **du** + *nom de pays masculin* : Tu viens **du** Royaume-Uni.
- **de** + *nom de pays féminin* : Il vient **de** Suède.
- **d'** + *nom de pays masculin ou féminin commençant par une voyelle* : Ils viennent **d'**Afghanistan ou **d'**Allemagne ?
- **des** + *nom de pays pluriel* : Vous venez **des** Comores.

Phonétique

Rythme et accentuation

- En français, la parole est découpée en « groupes rythmiques » séparés par une syllabe accentuée et une pause. (Plus on parle vite, moins on fait de pauses.)
- La syllabe accentuée (précédée du signe [ˈ]) est la dernière du groupe rythmique. Elle porte un accent de durée = elle est plus longue ! Les autres syllabes sont régulières et continues.

J'aime ˈbien / regarder la télévi ˈsion / mais je pré ˈfère / écouter de la mu ˈsique.//

Culture et civilisation

Les villes citées dans cette unité...

Paris

Versailles

Toulon

Digne

Fais une recherche sur ces villes !

Mes achats et mon argent de poche

PROJET DE L'UNITÉ :
RÉALISER UN DOSSIER

1 Écoute et observe bien !

Image 1

Léa : On travaille sur un nouveau livre et une nouvelle vidéo ?

Agathe, Théo, Max : Oui !

Théo : Avec nos économies, on pourrait acheter un nouveau baladeur ou un nouveau portable ?

Max : On a 187 euros et 34 centimes !

Léa : Super ! On va au centre commercial...

Image 2

Agathe : Bonjour ! On voudrait faire des photos, de la vidéo, des dessins et de la musique !

Image 3

Le vendeur : Alors, vous achetez un « caméscope à nanoparticules », une « tablette graphique électronucléaire »... et un « clavier spintronique » avec son casque audio...

Image 4

Agathe : Combien ça coûte ?

Le vendeur : Tout ça est à vous pour le prix de... 1 998 euros avec, en cadeau, ce très beau porte-clefs !

Image 5

Max : Ah ! Là, il y a des soldes, j'y vais...

Théo : Oh ! Des promotions...

Léa : Bon, moi, je vais à la librairie, d'accord ?

Agathe : Hé ! Revenez !

2 Écoute et répète ! Puis note les lettres dans l'ordre ! Tu as deux écoutes !

A

le centre commercial

B

le magasin

C

le vendeur / la vendeuse

D

le prix

E

la promotion

F

les soldes

G

le cadeau

3 Écoute et repère !

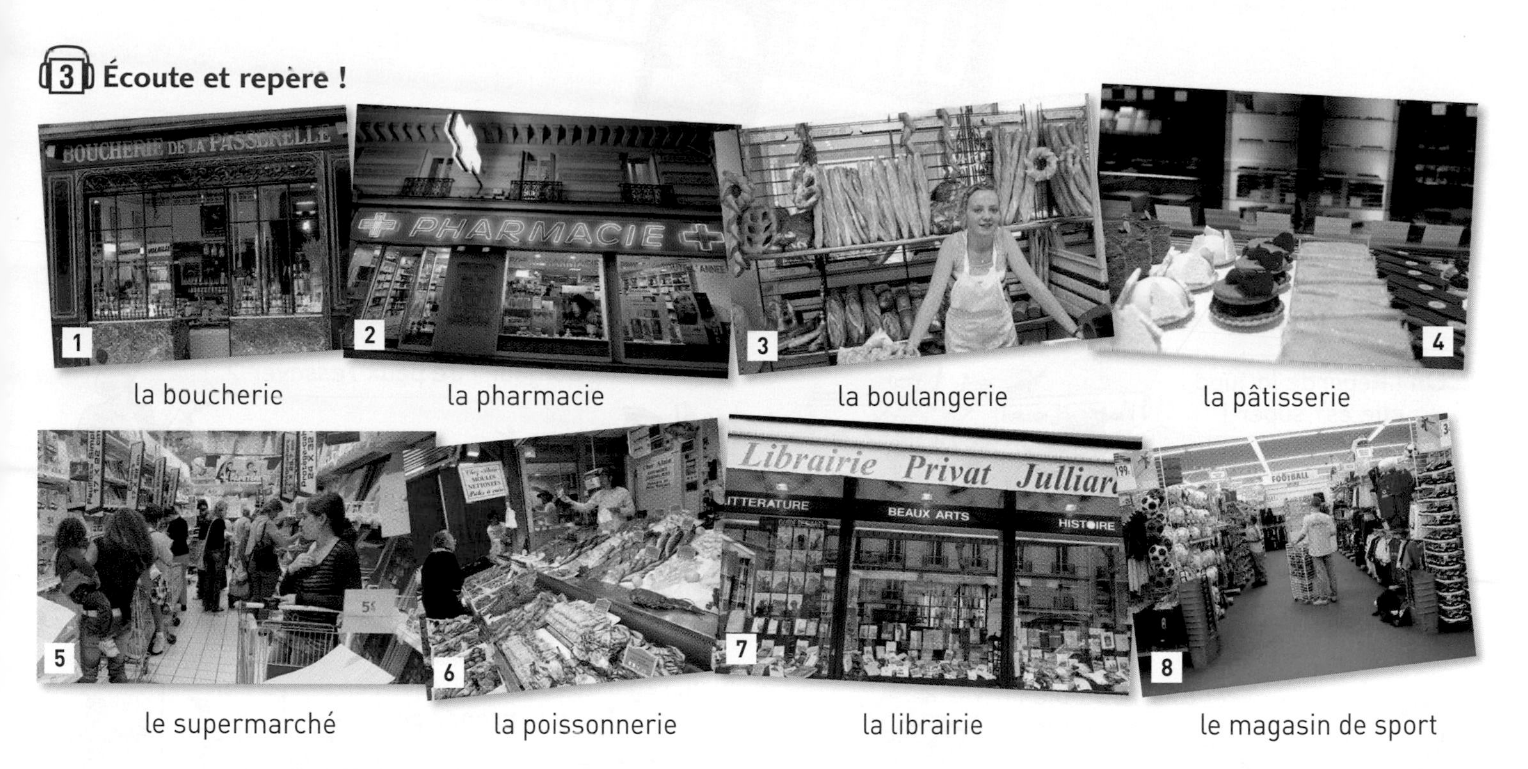

1 la boucherie - 2 la pharmacie - 3 la boulangerie - 4 la pâtisserie

5 le supermarché - 6 la poissonnerie - 7 la librairie - 8 le magasin de sport

Puis <u>ferme les yeux</u> et teste-toi : 1 ? la boucherie - **2** ? la pharmacie ? etc. **À toi !**

4 Regarde l'exemple, puis continue avec les autres mots !

Exemple : Je voudrais acheter des médicaments : je devrais aller à la pharmacie !

du chocolat - des gâteaux - des livres - des médicaments - du pain - du poisson - du poulet - des rollers - des croissants - du jus d'orange - un vélo - un cadeau

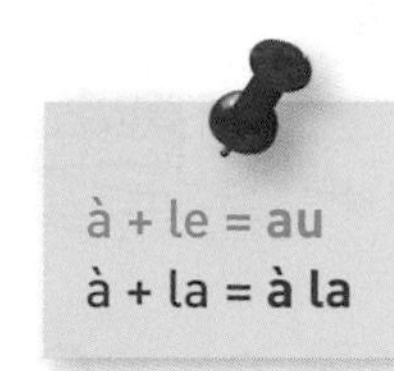

5 Écoute et observe bien !

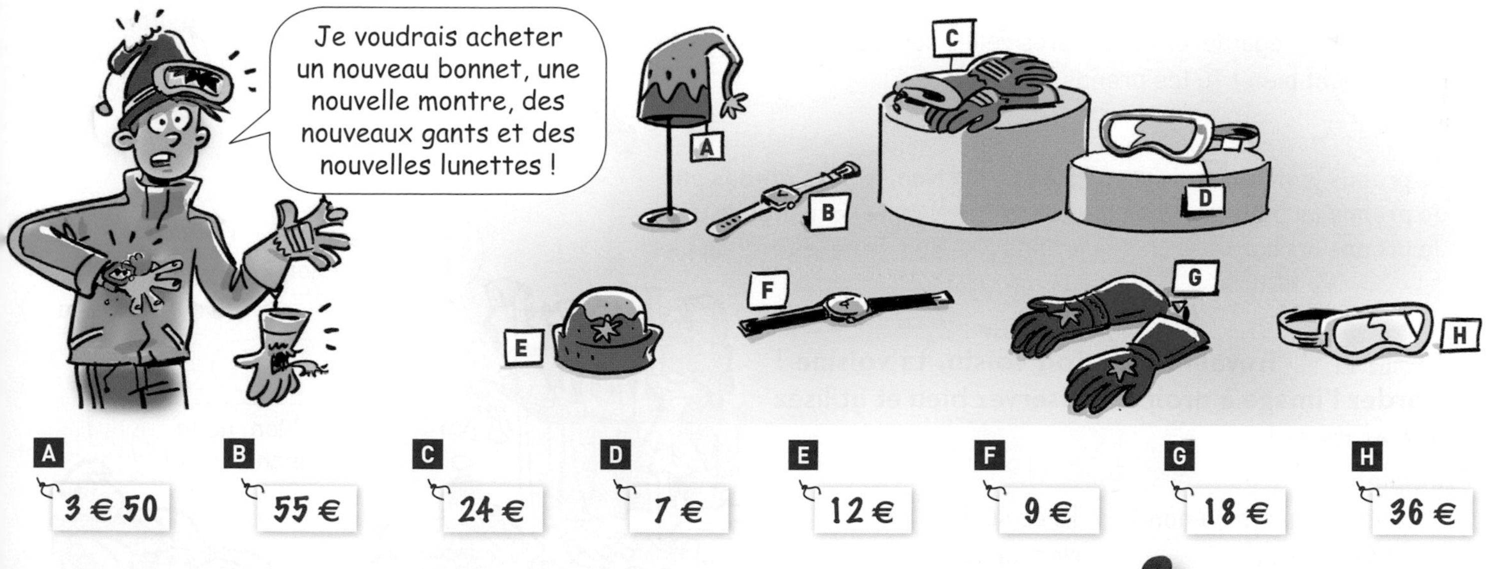

Le bonnet vert coûte combien ? 3 euros 50 ? C'est bon marché !
La montre jaune coûte combien ? 55 euros ? C'est trop cher !
Les gants bleus coûtent combien ? 24 euros ? Ça va !

masculin : nouveau - nouvel - nouveaux
féminin : nouvelle - nouvelles

Maintenant, travaille (A) avec ton voisin, ta voisine (B) !

Exemple : A : Bonjour ! Je voudrais acheter des nouveaux gants ! **B :** Voilà des gants rouges : ils coûtent 18 euros ! C'est bon marché ? **A :** Oui, ça va !

1 Écoute et associe les noms des vêtements aux images ! Tu as deux écoutes !

Exemple : 1-D

1 les bottes	**2** les chaussures	**3** la chemise	**4** la jupe	**5** le manteau
6 le pantalon	**7** le pull	**8** la robe	**9** le tee-shirt	**10** la veste

2 Observe bien la scène, puis rejoue-la en utilisant d'autres noms de vêtements !

Exemple : Oh ! Regarde les chaussures : elles sont super ! Bonjour ! Je peux les essayer ? – Elles te vont bien ! Tu les prends ? etc.

Attention au pluriel de **aller** : ils / elles vont !

Je prends le manteau. → Je le prends ? → Non, je *ne* le prends pas.
Je prends la chemise. → Je la prends ? → Non, je *ne* la prends pas.
Je prends les bottes. → Je les prends ? → Non, je *ne* les prends pas.

3 Travaille avec ton voisin, ta voisine ! Regardez l'image à droite ! Observez bien et utilisez d'autres mots !

Exemple :
- J'achète les gants ou non ?
- Oui, achète-**les**…
- Tu es sûr(e) ?
- Non, *ne* **les** achète *pas* !

À l'impératif : Achète la robe ! → Achète-la ! → Non, *ne* l'achète *pas* !

4 Phonétique → La liaison : Écoute et lis à voix haute !

Vous‿allez acheter des‿oranges avec vos‿amis ? – Oui, on‿a des‿euros. – Allez‿y ! – Combien ça coûte ? Un‿euro ? deux‿euros ? trois‿euros ? six‿euros ? sept‿euros ? huit‿euros ? dix‿euros ?

PROJET

DOSSIER ARGENT DE POCHE

1 Écoute et lis ! Qu'est-ce que tu en penses ?

Mes parents me donnent 20 euros par mois. Avec cet argent, j'achète des gadgets[1], des boissons ou je mange un hamburger...

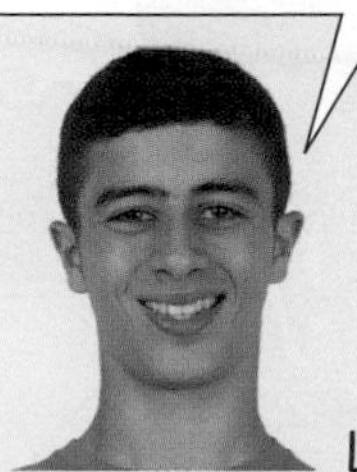

Lucas

Je n'ai pas d'argent de poche. Mais, mes parents me donnent de l'argent pour mon anniversaire ou pour Noël. Je ne dépense rien, j'économise.

Alice

Moi, mes parents me donnent de l'argent quand je travaille bien au collège. Avec mon argent, j'achète des jeux vidéo.

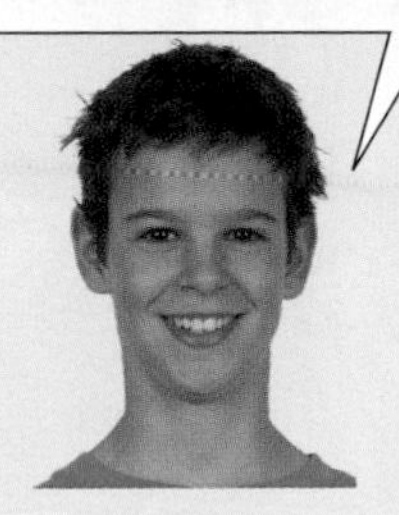

Hugo

Ces conseils pourraient s'adresser à qui ? À Lucas ? À Alice ? À Hugo ?

1 Tu devrais travailler pour toi-même et pas pour de l'argent ! → À ...
2 Tu pourrais économiser un peu plus ! → À ...
3 Tu n'aimerais pas acheter un cadeau à tes parents ? → À ...
4 Tu devrais acheter des choses plus utiles ! → À ...
5 Tu ne pourrais pas acheter des fournitures scolaires[2] ? → À ...
6 Tu n'aimerais pas avoir de l'argent de poche tous les mois ? → À ...

2 Et toi ? Prépare-toi à parler de ton argent de poche : coche d'abord les cases et réponds !

Tu as de l'argent de poche ? oui ☐ non ☐ Si oui, qui te donne ton argent de poche ? ...
Combien ? ... Quand ? ...
C'est beaucoup ? oui ☐ non ☐
Tu voudrais en avoir ? oui ☐ non ☐ Si oui, combien ? ...

Pour quoi faire ?

■ pour acheter...

☐ des boissons ? ☐ des magazines ? ☐ des accessoires[3] ?
☐ des chocolats ? ☐ des livres ? ☐ un portable ?
☐ des gâteaux ? ☐ des jeux vidéo ? ☐ des fournitures scolaires ?
☐ des CD ? ☐ des vêtements ? ☐ des cadeaux ?
☐ des DVD ? ☐ des baskets ? des tennis ? ☐ ...

■ pour aller...

☐ au cinéma ? ☐ au concert ? ☐ au restaurant ?
☐ au musée ? ☐ au zoo ? ☐ à une fête ?
☐ au stade ? ☐ à la piscine ? ☐ ...

Maintenant, c'est à toi !

Exemple : J'ai de l'argent de poche. Mes parents me donnent ... par mois. C'est beaucoup (Ça n'est pas beaucoup) ! Je voudrais avoir ... pour ..., etc.

1. un gadget : *un jeu ou un petit objet amusant, souvent inutile.* – 2. des fournitures scolaires : *par exemple des feutres, une trousse, des cahiers, etc.* – 3. un accessoire : *par exemple une montre, des gants, des lunettes de soleil, un sac, etc.*

Les Misérables

Écoute et regarde la BD de Max ! Puis mets en scène l'épisode avec tes camarades !

*un(e) misérable : *ce mot a plusieurs sens : une personne malheureuse, une personne très pauvre, mais aussi une personne malhonnête et méchante. Victor Hugo, dans son roman « les Misérables », fait incarner par ses personnages chacune des définitions de ce mot.*

Unité 2 On récapitule !

Consignes de classe

Prépare-toi à...

Rejoue la scène !

Teste-toi !

Utilise d'autres mots !

Communication

Tu sais maintenant...

■ **exprimer une demande, un souhait, un conseil, une suggestion :**
Reviens ! Prends ton argent !
Je voudrais des gants !
Tu pourrais économiser un peu plus !
Je devrais aller à la pharmacie !
Bonne chance !

■ **demander et dire le prix de quelque chose :**
Combien ça coûte ? Les gants coûtent combien ?
Les gants coûtent 24 euros.

■ **exprimer la possession :**
C'est à moi. Ils sont à vous.

■ **promettre :**
(C'est) promis !

Vocabulaire

Modes de vente et d'achat

l'achat *(m.)*
l'argent* *(m.)*
l'argent de poche *(m.)*
le cadeau
le centime
les économies (f. pl.)
l'euro *(m.)*
la pièce
le prix
la promotion
les soldes *(m. pl.)*

Commerces

la boucherie
la boulangerie
le centre commercial
la librairie
le magasin (de sport)
le marché
la pâtisserie
la pharmacie
la poissonnerie
le supermarché
le vendeur
la vendeuse

Vêtements et accessoires

le bonnet
la botte
la chaussure
la chemise
le gant
la jupe
les lunettes *(f. pl.)*
le manteau
la montre
le pantalon
le pull
la robe
le tee-shirt
la veste

Verbes

acheter
connaître
coûter
dépenser
donner
économiser
essayer
prendre
promettre
rendre
revenir

Adjectifs et adverbe

bon marché
cher
heureux
honnête
nouveau / nouvelle
sûr(e)
beaucoup

Certains mots n'ont pas été l'objet d'un entraînement systématique et n'apparaissent pas ici. Ils sont toutefois indiqués en italique quand ils seront ou pourront être réutilisés plus tard.

*l'argent : *ce mot a deux sens principaux : 1/ un métal blanc 2/ toute sorte de monnaie*

Grammaire

Le verbe *prendre* (rappel)

je pren**ds**, tu pren**ds**, il / elle / on pren**d**, nous pren**ons**, vous pren**ez**, ils / elles pren**nent**

Le verbe *acheter*

j'ach**è**te, tu ach**è**tes, il / elle / on ach**è**te, nous achetons, vous achetez, ils / elles ach**è**tent

Le conditionnel présent (au singulier)

		aimer	devoir	pouvoir	vouloir
1re personne	j' (je)	aime**rais**	dev**rais**	pour**rais**	voud**rais**
2e personne	tu	aime**rais**	dev**rais**	pour**rais**	voud**rais**
3e personne	il / elle / on	aime**rait**	dev**rait**	pour**rait**	voud**rait**

Il sert à exprimer une demande, un souhait, un conseil, une suggestion :
- *une demande polie :* Je **voudrais** des gants. Tu **pourrais** venir ?
- *un souhait :* J'**aimerais** avoir de l'argent de poche.
- *un conseil, une suggestion :* Tu **devrais** travailler pour toi-même !

Les pronoms personnels COD (3e personne)

masculin	le (ou l'*)	Je dépense l'argent.	→ Je le dépense.
féminin	la (ou l'*)	J'achète la robe.	→ Je l'achète.
pluriel	les	Je prends les gants.	→ Je les prends.

** devant une voyelle ***a***, ***e***, ***i***, ***o***, ***u***, ***y*** ou un ***h*** muet.

La place du pronom personnel COD

Il est juste avant le verbe : Je **la** prends. Je ne **la** prends pas.
Il est juste avant l'infinitif : Je peux **l'**essayer ? Je ne veux pas **l'**essayer !
À l'impératif : Prenez-**les** ! Ne **les** prenez pas !

L'adjectif *nouveau, nouvel*, nouvelle, nouveaux, nouvelles*

Il se place AVANT le nom (comme « petit » ou « grand ») :
J'achète une nouvelle montre. Tu fais un nouvel achat ?

* devant un nom masculin commençant par ***a***, ***e***, ***i***, ***o***, ***u*** ou un ***h*** muet.

Phonétique

La liaison : On‿a des‿euros !

Stratégies

Pour mieux apprendre...

■ Répète plusieurs fois les mots ou les phrases à voix haute ou « dans ta tête » : tu as besoin de t'entraîner à les prononcer et à les mémoriser.

■ Note les mots nouveaux dans un carnet ou dans ton cahier d'activités et réutilise-les le plus souvent possible à l'oral et à l'écrit : ainsi tu retiendras la manière de les écrire (graphie) et de les utiliser (morphosyntaxe ou grammaire).

Culture et civilisation

Des commerces en France

Un magasin

Un grand magasin

Un marché

Un supermarché

Compare avec les commerces de ton pays et fais une exposition dans la classe !

**PROJET DE L'UNITÉ :
FAIRE UN TEST**

Mon caractère

1 Écoute et observe ! De quels nouveaux personnages des *Misérables* parle Léa ?

Image 1

Agathe : Pour la vidéo, j'ai le caméscope de mon père ! On commence ?
Théo : Qui va jouer les personnages ?

Image 2

Léa : Alors, il y a d'abord Jean Valjean : Il est grand, fort, gentil, généreux et sympathique.
Max : Ça, c'est moi !
Léa : Ensuite, il y a Cosette : elle est petite, timide et malheureuse.

Image 3

Agathe : « Petite et timide », ça c'est toi ! Ah, ah !
Léa : Et puis, il y a Madame Thénardier : elle est grosse, idiote, méchante et elle est rousse : c'est toi !

Image 4

Théo : Agathe... « idiote et méchante»... Ah, ah !

Image 5

Léa : Il y a aussi Monsieur Thénardier. Il est maigre, méchant et hypocrite : c'est tout à fait toi !

Image 6 :

Théo et Agathe : Il est nul, ce livre !
Léa : « Les Misérables », c'est vraiment un grand livre !

2 Écoute et répète ! Et toi, comment tu crois être ?

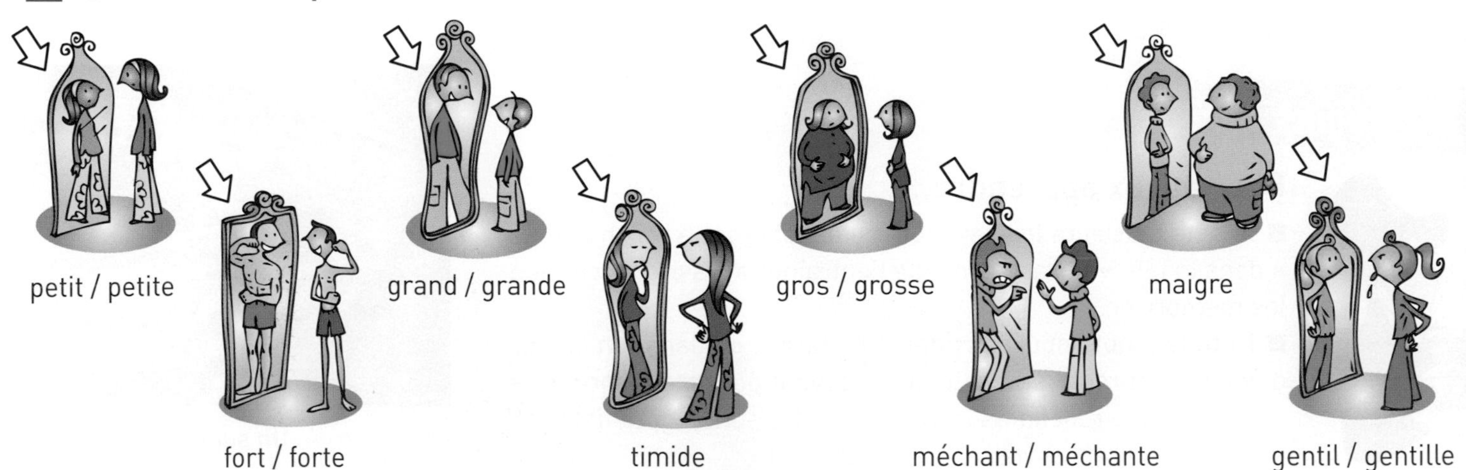

3 Écoute et observe bien !

Je suis trop stressée ! Je vais bouger moins, travailler moins et dormir plus !

Je suis trop nul en français : je vais travailler plus, écouter plus et rêver moins !

Complète maintenant à l'oral par *plus* (+) ou *moins* (–) !

1 Je suis trop gros : je vais manger ... , bouger ... , faire ... de sport !
2 Je suis trop maigre : je vais être ... stressé et manger ... !
3 Je suis trop triste : je vais jouer ... , m'amuser ... et rire ... avec mes amis !
4 Je suis trop timide en classe : je vais parler ... !
5 Je suis trop fatigué : je vais regarder ... la télé, surfer ... sur Internet et dormir ... !
6 Je suis trop méchant : je vais être ... gentil et faire ... de cadeaux !

4 Écoute et lis !

Elle n'a peur de rien : elle est courageuse.
Il aime faire des cadeaux : il est généreux.
Elle aime bien rire et s'amuser : elle est heureuse.
Il comprend vite : il est intelligent.
Elle est trop triste : elle est malheureuse.
Il bouge beaucoup, il est stressé : il est nerveux.
Elle ne travaille pas assez : elle est paresseuse.
Il a peur des araignées : il est peureux.

courageux → courageuse
généreux → généreuse
heureux → heureuse
intelligent → intelligente
malheureux → malheureuse
nerveux → nerveuse
paresseux → paresseuse
peureux → peureuse

Et toi ? Comment tu crois être ?

→ Moi, je (j') ... : je suis ...

5 Joue avec ton voisin ou ta voisine !

d'Artagnan

Milady

Jean Valjean

Cosette

Napoléon

Jeanne d'Arc

Il est brun, assez grand, courageux, fort et gentil. Tu le connais ?

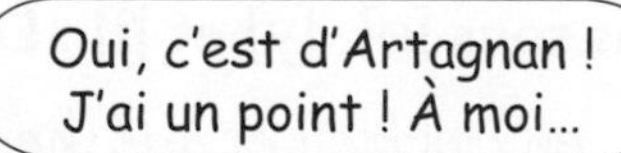

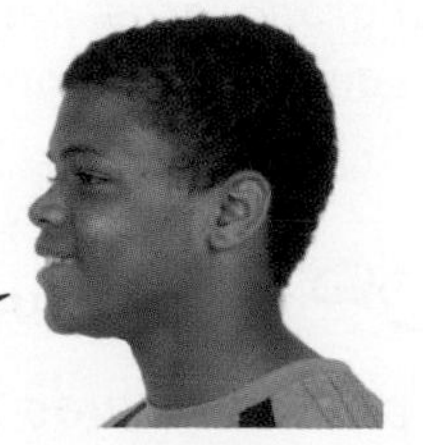

1 Écoute et associe (avec la bonne image) ! Tu as deux écoutes ! Exemple : 1-A.

1 calme **2** hypocrite **3** idiot(e) **4** stressé(e) **5** sympathique **6** têtu(e)

A

B

C

D

E

F

2 Décris quelqu'un de ta famille, un copain, une copine ou ton animal familier ! Utilise un maximum d'adjectifs !

Exemples : Ma tante est gentille et généreuse : elle aime beaucoup faire des cadeaux. Ma copine est sympathique, un peu têtue ; mais je l'adore ! Mon chat est timide et peureux : il a peur des souris !

fatigué(e) – fort(e) – gentil(le) – grand(e) – gros(se) – maigre – méchant(e) – petit(e) – stressé(e) – timide – triste, etc.

3 Remets les phrases dans l'ordre à l'oral !

Exemples :
homme / un / C'est / hypocrite / → C'est un homme hypocrite.
intelligente / petite / C'est / femme / une / → C'est une petite femme intelligente.

L'adjectif qualificatif est <u>après</u> le nom.
Sauf *grand*, *gros*, *petit* et *joli* qui sont <u>avant</u> le nom !

1 un / têtu / enfant / Voilà / → ...
2 timide / garçon / C'est / un / → ...
3 femme / C'est / une / maigre / grande / → ...
4 Voici / nerveux / homme / un / petit / → ...
5 petite / Je / une / courageuse / connais / fille / → ...
6 sympathique / jolie / femme / une / C'est / → ...

4 Phonétique → Les sons [ø], [y] et [i] : Écoute et répète ! Puis chante le rap !

Deux petites tortues têtues, en pull bleu et gris, heureuses à Paris !

PROJET

TEST !

Tu te vois comment ? Tu voudrais être comment ?

1 Regarde et coche les cases qui sont vraies pour toi !

Je suis ...

- ☐ calme
- ☐ courageux / euse
- ☐ généreux / euse
- ☐ gentil / gentille
- ☐ intelligent(e)
- ☐ heureux / euse
- ☐ hypocrite
- ☐ malheureux / euse
- ☐ méchant(e)
- ☐ nerveux / euse
- ☐ paresseux / euse
- ☐ peureux / euse
- ☐ stressé(e)
- ☐ sympathique
- ☐ têtu(e)
- ☐ timide

2 Présente-toi !

Exemple : Je suis gentil (gentille), très sympathique, assez généreux (généreuse) : j'aime bien faire des cadeaux. Mais je suis trop timide et trop nerveux (nerveuse) : je voudrais être moins timide et je vais être plus calme !

N'oublie pas : utilise *très, assez, pas assez, trop, moins* ou *plus* !

3 Maintenant, fais le test et regarde les résultats ! Tu es d'accord ?

1 Un copain (une copine) te demande ton livre de français :
- ❀ Tu lui donnes ton livre.
- ★ Tu lui dis : « Non ! »
- ■ Tu lui donnes... ton cahier !

2 Une copine (un copain) t'offre un cadeau, mais le cadeau ne te plaît pas :
- ■ Tu prends le cadeau.
- ❀ Tu remercies ta copine (ou ton copain).
- ★ Tu lui rends le cadeau.

3 Un copain (une copine) t'invite au cinéma :
- ★ Tu vas au cinéma, mais sans lui (sans elle).
- ■ Tu lui dis que tu dois faire tes devoirs.
- ❀ Tu acceptes.

4 Une copine (un copain) te dis : « Tu es un idiot (une idiote) ! »
- ❀ Tu lui dis : « Tu es fâché(e) ? »
- ■ Tu ne dis rien.
- ★ Tu lui dis : « Et toi, tu es nul(le) ! »

5 Tu vois le garçon (la fille) que tu aimes bien parler avec un(e) autre.
- ■ Tu pars en pleurant.
- ★ Tu lui dis : « Viens ici ! »
- ❀ Tu penses : « L'autre » a l'air sympathique !

RÉSULTATS

Tu as 3, 4 ou 5 ❀ :
Tu es très gentil(le) ! Mais tu as peut-être peur des conflits ? Tu pourrais dire « non », de temps en temps !

Tu as 3, 4 ou 5 ★ :
Tu es assez têtu(e) ! Tu as beaucoup de personnalité ! Alors, laisse aussi s'exprimer celle des autres !

Tu as 3, 4 ou 5 ■ :
Tu es plutôt timide et un peu stressé(e) ! Mais tu as beaucoup de qualités ! Alors, exprime-toi !

4 Écoute et chante la chanson de Théo !

Je suis timide et malheureux... Je suis gentil, un peu nerveux...
Mais, ça va changer ! Je vais être fort et courageux !

Je suis timide et malheureuse... Je suis gentille, un peu nerveuse...
Mais, ça va changer ! Je vais être forte et courageuse !

Oui, ça va changer ! Oui, tout va changer ! Je vais être heureux (heureuse) !

Les Misérables

Écoute et regarde la BD de Max ! Puis décris le caractère des personnages !

1. Montreuil-sur-Mer : *une petite ville près de Calais, dans le nord de la France* – 2. Montfermeil : *une petite ville à l'est de Paris.* – 3. fainéant : *paresseux*

Unité 3 On récapitule !

Consignes de classe

Tu te vois comment ?
Fais le test !
Regarde les résultats !
Décris le caractère des personnages !

Communication

Tu sais maintenant...

■ **définir ton caractère et celui de quelqu'un d'autre :**
Je suis sympathique et généreux.
C'est un petit homme hypocrite.

■ **structurer ton propos :**
D'abord, il y a Jean Valjean ; ensuite, il y a Cosette ; et puis il y a Madame Thénardier ; il y a aussi Monsieur Thénardier.

■ **parler d'une action dans un futur proche :**
Qui va jouer les personnages ?
Je vais faire plus de sport.

■ **donner des informations sur l'intensité d'un trait de caractère ou d'une action :**
Il est très gentil, mais il dort trop.
Je suis assez nerveux ; je voudrais être plus calme.

■ **demander de l'aide :**
Au secours ! Aidez-moi !

Vocabulaire

Noms

la femme
la fille
la forêt
le garçon
l'homme *(m.)*
l'infirmerie (f.)
le personnage
le voleur

Verbes

aller chercher
changer
commencer
comprendre
connaître (U 2)
mourir
ramener
revoir

Adjectifs

calme
courageux / euse
fort / forte
généreux / généreuse
gentil / gentille
grand / grande
gros / grosse
hanté / hantée
heureux / heureuse (U 2)
hypocrite
idiot / idiote
intelligent / intelligente
lourd / lourde
maigre
malheureux / euse
méchant / méchante
nerveux / nerveuse
paresseux / euse
petit / petite
peureux / peureuse
stressé / stressée
sympathique
têtu / têtue
timide

Adverbes

assez
beaucoup (U 2)
d'abord
ensuite
et puis
moins
plus
très
trop
un peu
vraiment

Certains mots n'ont pas été l'objet d'un entraînement systématique et n'apparaissent pas ici. Ils sont toutefois indiqués en italique quand ils seront ou pourront être réutilisés plus tard.

Grammaire

Le futur proche (rappel)

– **aller** *au présent* + **infinitif**
Qui **va** jouer les personnages ?
Je **vais** dormir plus et manger moins !

Le verbe *connaître*

je connai**s**, tu connai**s**, il / elle / on conna**ît**, nous connais**sons**, vous connais**sez**, ils / elles connais**sent**

Accord de l'adjectif qualificatif

Il s'accorde avec le nom ou le pronom auquel il se rapporte :
au féminin : **+e** ; *au pluriel :* **+s** ; *au féminin pluriel :* **+es**
Elle est méchant**e**. Ils sont timide**s**. Elles sont têtu**es**.

Au féminin, avec certains adjectifs, on double la consonne finale : Elle est gro**ss**e. Tu es genti**ll**e.

Le féminin des adjectifs en **-eux** *est* **-euse** *:*
Il est génér**eux**. Elle est génér**euse**.

Attention : e + e, x + x *et* s + s *sont* ***impossibles*** !
Il est calm**e**, elle est calm**e** ; il est courageu**x**, ils sont courageu**x** ; il est gro**s**, ils sont gro**s**.

Place de l'adjectif qualificatif

L'adjectif qualificatif est *<u>après</u>* *le nom :* C'est une femme courageuse.

Sauf **grand**, **gros** *et* **petit** *qui sont* *<u>avant</u>* *le nom (et d'autres adjectifs comme* bon, mauvais, vieux, jeune, nouveau, beau, joli*) :*
C'est un petit homme hypocrite.

Les adverbes *un peu, beaucoup, très, trop, (pas) assez, plus* et *moins*

+ verbe	+ nom	+ adjectif
Je travaille un peu.	Tu as un peu **d'**argent ?	Il est un peu timide.
Je dors beaucoup.	Tu as beaucoup **d'**argent ?	Il est **<u>très</u>** gentil.
Je dors trop.	Tu as trop **d'**argent ?	Il est trop timide.
Je travaille assez.	Tu as assez **d'**argent ?	Il est assez gentil.
Je travaille plus [plys].	Tu as plus [plys] **d'**argent ?	Il est plus timide.
Je dors moins.	Tu as moins **d'**argent ?	Il est moins gentil.

Ils sont <u>après</u> le verbe et <u>avant</u> le nom ou l'adjectif.

Phonétique

Les sons [ø], [y] et [i] : heureux, têtu, gentil

Culture et civilisation

Des photos de séries TV des « Misérables »

Jean Valjean – « Monsieur Madeleine »

Cosette

Le père Thénardier

La mère Thénardier

Compare avec les personnages de la BD ! Décris les ressemblances et les différences !

On révise et on s'entraîne pour le DELF A1 !

Document à photocopier !

Nom : .... **Prénom :** ....

Compréhension de l'oral (10 points)

1 Écoute et coche la bonne réponse ! Lis d'abord les phrases ! Tu as deux écoutes !

Dialogue 1 : Léonie est
- ☐ gentille.
- ☐ hypocrite.
- ☐ sympathique.

Dialogue 2 : Paul est
- ☐ fort.
- ☐ intelligent.
- ☐ gros.

Dialogue 3 : Monsieur Dubois est
- ☐ grand.
- ☐ petit.
- ☐ peureux.

Dialogue 4 : Chloé est
- ☐ timide.
- ☐ triste.
- ☐ gentille.

2 Écoute et numérote les situations ! Regarde d'abord les images ! Tu as deux écoutes !

Image A	Image B	Image C
60€ 75€ 110€	SOLDES EN PROMOTION	45€ 15€ 30€ OUVE
Situation n° ...	Situation n° ...	Situation n° ...

Compréhension des écrits (10 points)

1 Lis le blog de Titouan ! Puis coche les bonnes réponses !

Voilà mon oncle. Il est assez petit et timide. Mais c'est un homme fort et courageux. Il n'a peur de rien : il traverse les océans en bateau ! Il est toujours calme, gentil, jamais stressé.
Je l'adore : pour mon anniversaire et pour Noël, il me fait des super cadeaux. Et, comme moi, il est sympathique et intelligent, bien sûr ! Je vais partir avec lui, sur son bateau, faire le tour du monde…

[Ajouter un commentaire] [2 commentaires]

Posté le vendredi 10 mars 2009 à 10:20

Modifié le 15 mars 2009 à 15:05

- ☐ L'oncle de Titouan est peureux et stressé.
- ☐ Il est assez nerveux.
- ☐ Il est généreux.
- ☐ Il est blond et assez petit.
- ☐ Il fait de la planche à voile.
- ☐ Titouan est sympathique et intelligent.

2 Lis et reporte les prix !

Promotion sur les vêtements ! Les robes coûtent trente-deux euros cinquante ! Les pulls sont à vingt-quatre euros quatre-vingt-quinze ! Il y a aussi une promotion sur les petites vestes : elles sont à treize euros soixante-quinze ! Nous avons aussi des jupes longues à cinquante-sept euros et quarante-cinq centimes ! Et regardez le très beau manteau : il coûte quatre-vingt-huit euros cinquante ! Pour les hommes, nous avons aussi des pantalons à quarante et un euros quinze, des chemises à quinze euros cinquante-cinq et deux tee-shirts pour le prix d'un : seize euros quatre-vingt ! C'est bon marché, non ?

Production écrite (10 points)

Décris un copain, une copine. Il (elle) a quel âge ? Il (elle) habite où ? Il (elle) est grand(e), petit(e) ? Quel est son caractère ? Quels sont ses passe-temps ? (50-60 mots)

Je voudrais décrire ... , mon copain (ma copine). Il (elle) a ... ans. Il (elle) habite à ... . Il (elle) est ...

Production et interaction orales (10 points)

Tu veux acheter un cadeau avec ton argent de poche !

Qu'est-ce que tu veux acheter ?
Tu as combien d'argent ?
Tu vas dans quel(s) magasin(s) ?
Qu'est-ce que tu dis en entrant ?
Qu'est-ce que tu demandes ?
Que dit le vendeur ou la vendeuse ?
Tu achètes le cadeau ? Oui ? Non ? Pourquoi ?
Qu'est-ce que tu dis en partant ?

**PROJET DE L'UNITÉ :
PRÉPARER UN CONSEIL DE CLASSE**

Mon collège

1 Écoute et observe ! Puis dis tout ce que « Léa-Cosette » voudrait faire !

Image 1
Léa : Oh, comme je suis malheureuse ! Moi, Cosette, je ne sais pas lire ! Je ne sais pas écrire !

Image 2
Léa : Je voudrais aller à l'école ! Je voudrais travailler dans une salle de classe, faire du sport dans un gymnase, retrouver mes copains dans une cour de récréation !

Image 3
Léa : Je voudrais être forte en maths, en français, en histoire ! Je voudrais apprendre beaucoup de leçons, faire beaucoup d'exercices en classe et beaucoup de devoirs à la maison !

Image 4
Léa : Je rêve d'être une bonne élève, d'avoir de bonnes notes, d'être la déléguée de la classe. Le directeur serait gentil avec moi. Mes professeurs seraient fiers de moi !

Image 5
Agathe : Euh... elle s'entraîne pour le rôle de Cosette... Elle joue bien, hein ?

2 Écoute dans quelles matières Théo, Agathe, Max et Léa sont forts, bons ou « nuls » ! Tu as deux écoutes ! Puis parle de toi !

A  l'anglais

B 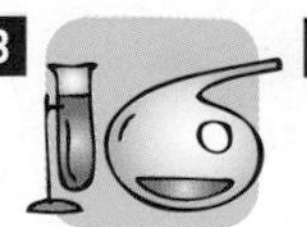 la chimie

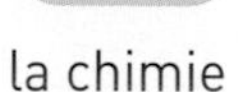

C 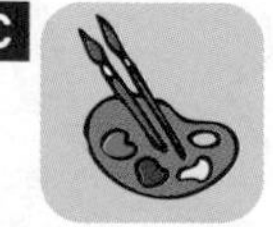 le dessin[1]

D  le français

E  la géographie

F  l'histoire

G  les mathématiques

H  la musique

I  la physique

J 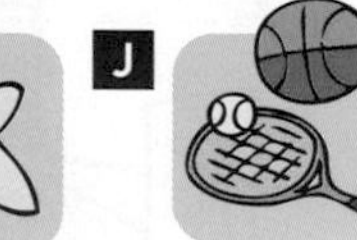  le sport

K 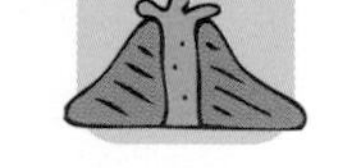 les sciences[2]

L 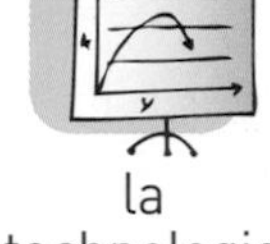

la technologie

1. On dit aussi les *arts plastiques* ou les *arts visuels*.
2. On dit aussi les *SVT*, *les sciences de la vie et de la Terre*.

3 Écoute, regarde et compare avec ton collège, ton école, ton lycée !

4 Le présent continu (ou présent progressif) → Écoute bien, puis décris !

Exemples : Elle est en train de s'entraîner **dans** le gymnase. Il est en train de faire une expérience **dans** la salle de sciences. Elle est en train de manger **à** la cantine, etc.

chanter	se dépêcher	dessiner	dormir	écouter	écrire	s'entraîner	faire un exercice
faire une expérience	lire	manger	marcher	parler	regarder	surfer sur Internet	travailler

5 Maintenant, choisis un lieu sur le plan du collège : ton voisin ou ta voisine devine !

*le CPE : *le conseiller principal d'éducation* – le CDI : *le centre de documentation et d'information*

1 Écoute, lis et associe (avec la bonne image) ! Exemple : 1-A

DES ADULTES AU COLLÈGE

1 C'est le directeur du collège[1]. Il connaît bien les élèves et les professeurs.
2 Il enseigne les mathématiques, le français, le sport ou la musique. Il connaît bien sa matière.
3 Ce n'est pas un professeur : devant le collège, dans la cour de récréation, à la cantine, dans les couloirs, il a l'œil à tout ! Il connaît bien les élèves. Il organise aussi des projets et les élections des délégués. Il travaille avec une équipe de surveillants[2] : ce sont souvent de jeunes étudiants.
4 Elle travaille au centre de documentation et d'information. Elle peut organiser des projets, des expositions.
5 Il ouvre et ferme les portes du collège ; il répond au téléphone, distribue le courrier...
6 Elle travaille à l'infirmerie, s'occupe des élèves malades ou blessés et organise des projets sur la santé, l'hygiène et la sécurité au collège.

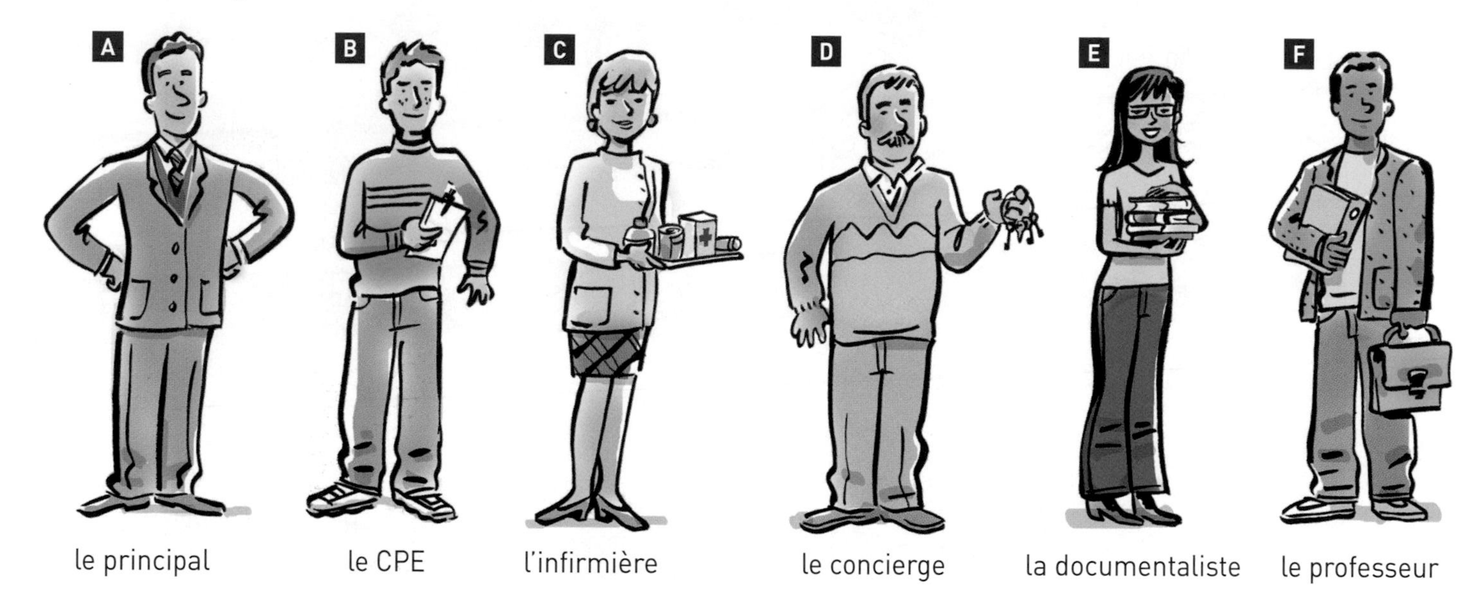

le principal — le CPE — l'infirmière — le concierge — la documentaliste — le professeur

2 Compare maintenant avec ton collège, ton école ou ton lycée !
Dans mon collège (mon école, mon lycée), il y a aussi un(e) ... et un(e) ... . Il n'y a pas de ... !

3 Lis l'exemple et complète à l'oral !
Exemple : Pour être un bon principal, il faut être calme et gentil ; il faut écouter les élèves, les parents et les professeurs et bien les connaître.

1 Pour être un bon CPE , il faut ...
2 Pour être un bon professeur de sport, il faut ...
3 Pour être un bon professeur de musique, il faut savoir ...
4 Pour être une bonne infirmière (un bon infirmier), il faut savoir ...
5 Pour être un bon concierge, il faut ...
6 Pour être une bonne documentaliste, il faut ...

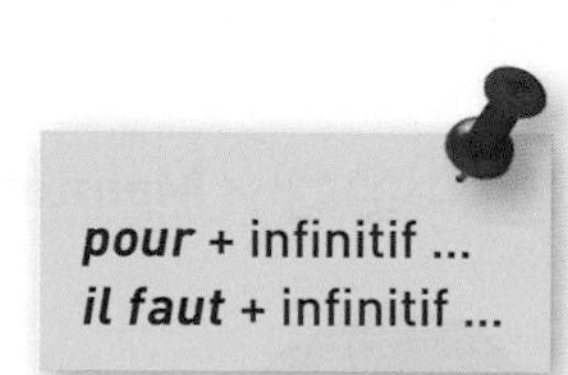

4 L'écriture du son [k] → Écoute et chante le rap !
Après le hockey... cinq cocas et des « kilos » de musique techno !

1. Le directeur d'un lycée s'appelle *un proviseur* ou *un principal*. – 2. On les appelle aussi *assistants d'éducation*.

DOSSIER

PROJET

LE DÉLÉGUÉ / LA DÉLÉGUÉE DE LA CLASSE

1 Écoute et prépare-toi à parler ! Coche d'abord les cases et réponds !

Le (la) délégué(e) représente ses camarades au *conseil de classe* (avec les professeurs et le directeur).

1 Il y a un(e) délégué(e) dans ta classe ? oui ☐ non ☐

2 Si oui, il (elle) est choisi(e) par qui ? Par...

☐ les élèves ☐ le directeur ☐ les parents
☐ les professeurs ☐ le CPE ☐ ...

3 Selon toi, comment il faut être pour être un bon délégué ou une bonne déléguée ? Il faut être...

☐ fort(e) en français ☐ hypocrite ☐ sympathique
☐ fort(e) en maths ☐ intelligent / intelligente ☐ calme
☐ fort(e) en sport ☐ gentil / gentille ☐ têtu / têtue
☐ courageux / courageuse ☐ bon / bonne élève ☐ ...

4 Qu'est-ce qu'il faut savoir faire pour être un bon délégué ou une bonne déléguée ? Il faut savoir...

☐ bien écouter ☐ bien écrire ☐ négocier
☐ bien parler ☐ bien lire ☐ se fâcher
☐ bien dessiner ☐ faire des projets ☐ ...

Délégué de classe

Maintenant, c'est à toi !

Dans ma classe, il y a un(e) délégué(e) / il n'y a pas de délégué(e). Il (elle) est choisi(e) par ... . Pour être un bon (une bonne) délégué(e), il faut ... .

2 Prépare tes remarques pour le conseil de classe avec ton voisin ou ta voisine ! Cochez d'abord les cases !

☐ Les élèves de la classe sont assez / trop paresseux.
☐ Les élèves de la classe travaillent trop.
☐ Les professeurs sont assez / trop gentils.
☐ Les professeurs sont assez / trop méchants.
☐ Les élèves de la classe sont assez / trop méchants.
☐ Il y a trop de devoirs à la maison.
☐ Il n'y a pas assez de devoirs à la maison.
☐ Il y a trop de leçons à apprendre.
☐ Il n'y a pas assez de leçons à apprendre.
☐ ...

Exprimez vos demandes :

Il faut **plus / moins** de (d')...

☐ cinéma ☐ français ☐ natation ☐ sport
☐ danse ☐ informatique ☐ récréations ☐ vidéo
☐ exercices ☐ musique ☐ sciences ☐ ...

Il faut une (nouvelle)...

☐ cantine ☐ piscine
☐ infirmerie ☐ salle informatique
☐ cour de récréation ☐ ...

Il faut un (nouveau)...

☐ CDI ☐ stade
☐ gymnase ☐ théâtre
☐ hall ☐ ...

Il faut organiser des **projets :** ...

3 Maintenant joue avec tes camarades ! Tu es le (la) délégué(e) ! Tes camarades jouent le « conseil de classe », c'est-à-dire les professeurs, le directeur ou la directrice. Tu parles, tu expliques, tu négocies !

Bonne chance !

Les Misérables

Écoute et regarde la BD de Max ! Puis raconte l'histoire de Cosette !

Le lendemain, à Paris...
Voilà ta nouvelle maison !
Voilà ta chambre.
Comme c'est joli !
Voilà une poupée pour toi !
Comme elle est belle !
Sa mère, Fantine, serait heureuse aujourd'hui !
Je voudrais apprendre à lire, à écrire ! Je voudrais aller à l'école !
Les jours suivants...
ÉCOLE
Cours de français
Cosette grandit...
Comme je suis heureuse !
Moi aussi, Cosette, je suis heureux !
À suivre...

Consignes de classe

Choisis un lieu sur le plan !
Compare avec ton collège !
Exprimez vos demandes !
Retrouve les graphies !

Communication

Tu sais maintenant…

■ **décrire une action en cours :**
Je suis en train de lire un livre.

■ **exprimer une obligation ou une norme :**
Pour apprendre, il faut bien écouter.

■ **exprimer l'étonnement :**
Comme elle est triste et malheureuse !
Comme c'est joli !
Comme la poupée est belle !

Vocabulaire

Le collège : les lieux

le bureau (du principal)
la cantine
le CDI
la cour de récréation
le gymnase
le hall
l'infirmerie *(f.)* (U 3)
la loge (du concierge)
la salle (de classe)
la salle informatique
la salle des professeurs

Le collège : les personnes

le (la) documentaliste
le (la) concierge
le (la) CPE
le (la) délégué(e)
le directeur
la directrice
l'élève *(m. ou f.)*
l'infirmier *(m.)*
l'infirmière *(f.)*
le (la) principal(e)
le (la) professeur

Matières et travail scolaires

l'anglais *(m.)*
la chimie
le dessin
le devoir
l'exercice *(m.)*
l'expérience *(f.)*
le français
la géographie
l'histoire *(f.)*
la leçon
les mathématiques *(f. pl.)*
la musique
la note
la physique
le projet
les sciences *(f. pl.)*
le sport
la technologie

Verbes

apprendre
chanter (U 1)
dessiner
écrire
s'entraîner
être en train de…
falloir : il faut…
faire un devoir
faire un exercice
faire une expérience
faire un projet
lire
négocier
parler
rentrer
savoir

Adjectifs

bon / bonne (en…)
fier / fière (de…)
fort / forte (en…)
nul / nulle (en…)

Certains mots n'ont pas été l'objet d'un entraînement systématique et n'apparaissent pas ici. Ils sont toutefois indiqués en italique quand ils seront ou pourront être réutilisés plus tard.

Grammaire

Le verbe *apprendre* (voir aussi *comprendre* et *prendre*)

j'apprend**s**, tu apprend**s**, il / elle / on apprend**d**, nous appren**ons**, vous appren**ez**, ils / elles appren**nent**

Le verbe *savoir* + infinitif

Je ne **sais** pas lire.
Un bon directeur **sait** écouter les élèves.

Le présent continu (ou présent progressif) : *être en train de* + infinitif

Qu'est-ce que tu es en train de faire ? – Je suis en train de lire.

Il faut exprime l'obligation.

+ nom : Il faut une piscine. **Il faut** plus de sport.
+ infinitif : Pour être un bon délégué, **il faut** être courageux et sympathique.

L'adjectif qualificatif *bon, bonne, bons, bonnes*

Il est placé avant le nom.
Un bon élève, une bonne copine, une bonne note, des bons élèves.

L'adverbe exclamatif *comme...* !

Il marque l'intensité.
Comme je suis malheureuse !

Graphie

L'écriture du son [k]

Stratégies

Pour mieux apprendre...

■ Quand tu apprends un nouveau verbe ou un nouvel adjectif, apprends en même temps la préposition avec laquelle il se construit !

■ Note une petite phrase dans ton cahier ou dans un carnet :

Cosette **rêve *de*** savoir lire.
Elle **apprend *à*** écrire.
Agathe est **forte *en*** histoire.
Max est **bon *en*** sport.
Théo est **nul *en*** physique.
Son professeur est **fier *de*** Léa.

Culture et civilisation

Dans un collège en France...

Le hall

Le bureau de la principale

La salle des professeurs

L'infirmerie

Compare avec ton collège, ton école, ton lycée ! Fais des photos et une exposition dans la classe, légendée en français !

Mes amis

PROJET DE L'UNITÉ : PARTICIPER À UNE ENQUÊTE

1 Écoute et observe ! Puis décris les sentiments de Léa !

Image 1
Maman de Max : Allô ?
Léa : Bonjour, madame ! Je voudrais parler à Max, s'il vous plaît ! C'est de la part de Léa.
Maman de Max : Ne quittez pas ! Max, c'est pour toi !

Image 2
Max : Allô, oui ?
Léa : Bonjour, Max ! C'est moi, Léa. On peut se voir demain au jardin du Luxembourg ?
Max : Au jardin du Luxembourg, pourquoi ?

Image 3
Léa : Parce que... Cosette et Marius... c'est là qu'ils se voient pour la première fois, voilà !

Image 4
Max : Marius ? C'est qui ?
Léa : Marius, mais c'est l'ami de Cosette !
Max : Bon d'accord, à demain !

Image 5
Léa : C'est là !
Max : Oh, regarde : comme elle est belle ! Quels beaux yeux, quel joli sourire !

Image 6
Léa : Au revoir !
Max : Hé, Léa, pourquoi tu t'en vas ? Reviens !

2 Écoute et répète !

Bonjour ! Je peux parler à Pauline, s'il vous plaît ?

Je voudrais parler à Pauline, s'il vous plaît !

Allô, oui ?

Oui, bonjour ! J'aimerais parler à Pauline, s'il vous plaît !

Bonjour, monsieur ! Je pourrais parler à Pauline, s'il vous plaît ?

3 **Écoute et observe ! Puis entraîne-toi avec ton voisin ou ta voisine : tu es Juliette ou Pierre et tu appelles Pauline ou Lucas ! C'est son père ou sa mère qui te répond !**

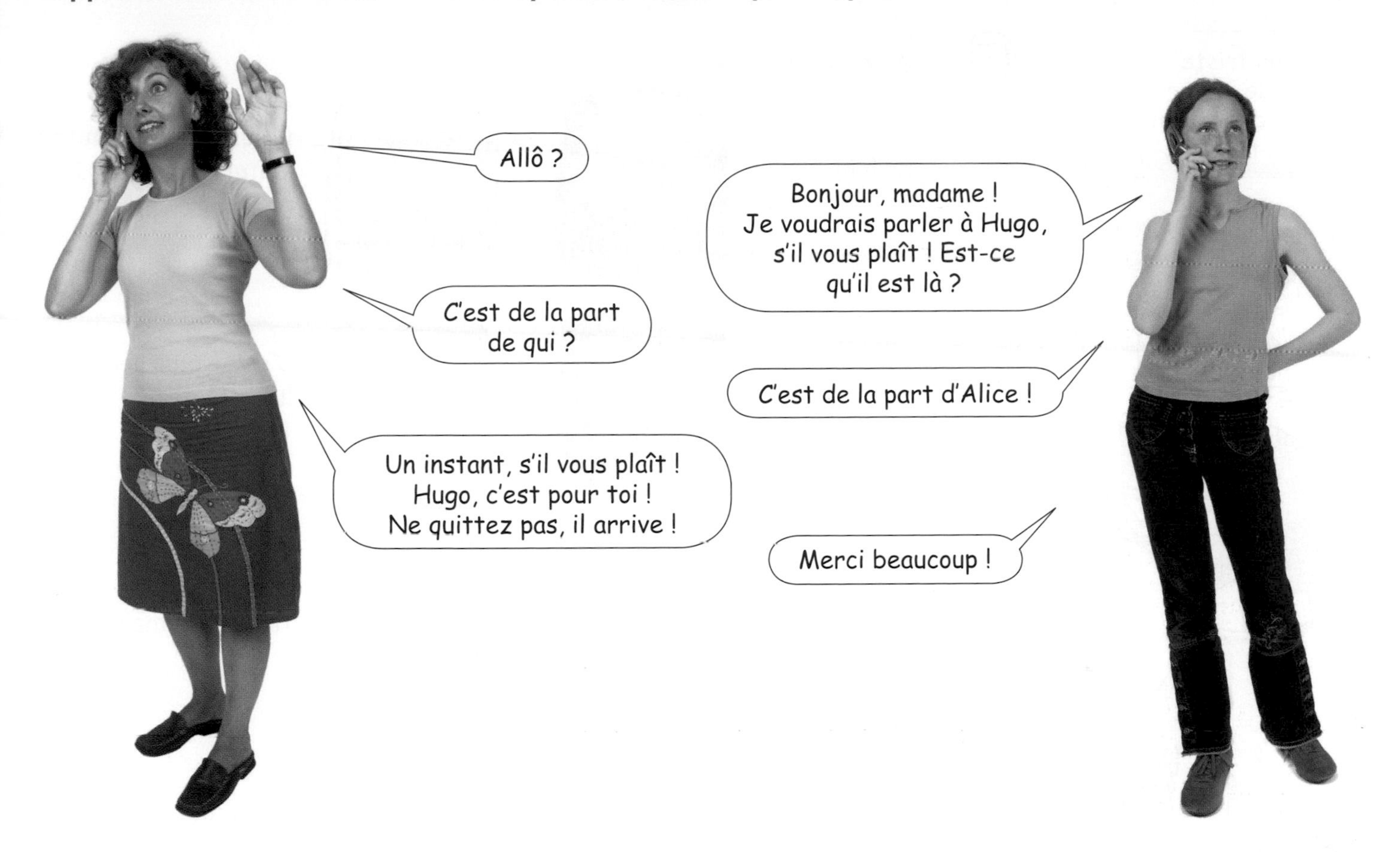

4 **Transforme à l'oral les questions avec *est-ce que* !**

Exemple : Il est là ? → Est-ce qu'il est là ?

1 Je peux parler à Lucas ? → ...
2 On peut se voir ? → ...
3 Tu viens au jardin du Luxembourg ? → ...
4 Nous allons au cinéma ? → ...
5 Vous êtes la mère d'Hugo ? → ...
6 Je pourrais voir Juliette, s'il vous plaît ? → ...
7 Ils vont manger à la cantine ? → ...
8 Elle est fâchée ? → ...

5 **Pose une question (A) ! Ton voisin ou ta voisine choisit la bonne réponse (B) !**

Exemple : A : Pourquoi tu ne vas pas à la piscine avec moi ? – **B :** Parce que je n'aime pas l'eau.

A	B
1 Pourquoi tu ne t'entraînes pas au volley avec moi ?	Parce que je n'aime pas marcher.
2 Pourquoi tu ne vas pas au parc avec moi ?	Parce que je n'aime pas les glaces.
3 Pourquoi tu ne manges pas une glace avec moi ?	Parce que j'ai mal aux bras.
4 Pourquoi tu ne vas pas au cinéma avec moi ?	Parce que tu poses trop de questions !
5 Pourquoi tu ne veux pas me parler ?	Parce que je n'aime pas les films d'action.
6 Pourquoi tu es énervé(e)[1] ?	Parce que j'ai mal à la gorge.

6 **L'écriture du son [s] → Écoute et chante le rap !**

À la piscine, six ou sept professeurs commencent la leçon de natation !

1. énervé(e) = *nerveux / nerveuse*

Je suis trop triste : j'ai besoin de parler ! J'ai besoin de me confier ! J'envoie un texto à Agathe !

1 Écoute et observe bien le « langage texto » !

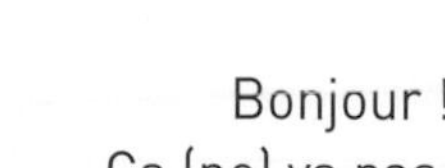

Bonjour ! Ça (ne) va pas. Léa

→

Qu'est-ce que t' (tu) as ? T' (tu) es stressée ? Agathe

Je suis désespérée[1]. C'est un secret : C'est Max...

→

C'est le plus beau. Il est sympa. Tu l'aimes ?

Non, je le déteste. Il est hideux[2].

→

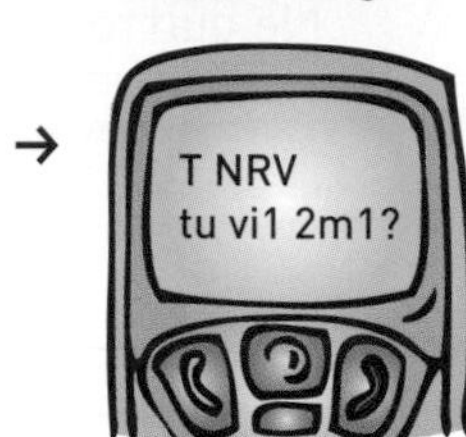

T' (tu) es énervée ! Tu viens demain ?

D'accord ! À plus tard ! Léa

→

À bientôt ! Bises Agathe

2 Maintenant, regarde et lis les messages ! (Entraîne-toi aussi dans le cahier d'activités !)

1) C bi1 : C'est bien. **2)** komensava ? ... **3)** savabi1 : ... **4)** G 1 ID : ... **5)** j V HT 1 Kdo : ... **6)** kom C bo : ...
7) non C i2 : ... **8)** C ki ? ... **9)** L è NRV : ... **10)** L è 5pa : ... **11)** a 2m1 : ... **12)** C dak : ...

3 Écoute et observe bien ! Puis complète à l'oral !

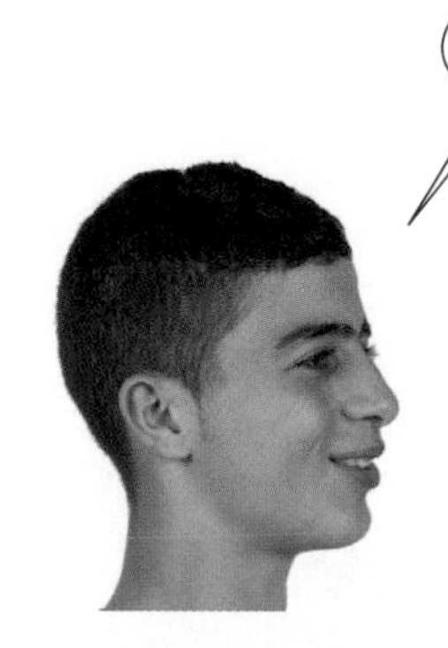

Il est 3 heures. On se voit à 5 heures ?
Non... on est mercredi. On se voit jeudi ?
Euh... non, ça ne va pas. On se voit dimanche ?
Alors, on se voit dans cinq jours ?

Oui, à plus tard !
D'accord, à demain !
Bon, à dimanche !
Oui, à bientôt !

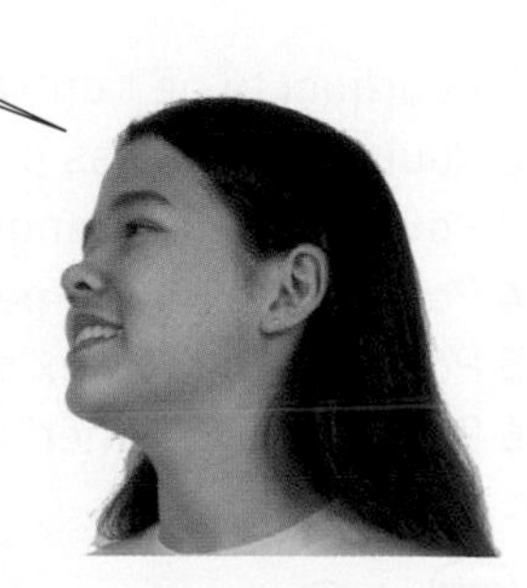

1 On se voit dans trois jours ? – Oui, à ... !
2 On se voit samedi ? – D'accord, à ... !
3 On est lundi. On se voit mardi ? – Oui, à ... !
4 Euh... on se voit vendredi ? – Bon, à ... !
5 Il est 7 heures. On se voit à 9 heures ? – Oui, à ... !
6 Euh non... on se voit à 8 heures ? – Non, au ... !

1 désespéré(e) : *très triste* – **2** hideux / hideuse ≠ *beau / belle*

PROJET

ENQUÊTE : C'est quoi l'amitié pour toi ?

1 **Écoute et répète ! Puis associe (avec la bonne notion) ! Tu as deux écoutes !** Exemple : 1-A

A la confiance **B** l'égalité **C** la fraternité **D** l'harmonie **E** la liberté **F** la tolérance

2 **Numérote les cases de 1 à 7 (ou 8), du plus important au moins important pour toi ! Ajoute une phrase, si tu veux ! Explique et compare avec ton voisin ou ta voisine !**

- ☐ Être amis, c'est se confier des secrets : l'amitié a besoin de confiance.
- ☐ Être amis, c'est se comprendre : l'amitié a besoin d'harmonie.
- ☐ Être amis, c'est se respecter : l'amitié a besoin de respect.
- ☐ Être amis, c'est s'accepter comme on est : l'amitié a besoin de tolérance.
- ☐ Être amis, c'est être égaux : l'amitié a besoin d'égalité.
- ☐ Être amis, c'est être comme un frère ou comme une sœur : l'amitié a besoin de fraternité.
- ☐ Être amis, c'est laisser l'autre libre : l'amitié a besoin de liberté.
- ☐ Être amis, c'est ...

3 **Écoute et chante la chanson de Théo !**

Un ami, tu peux tout lui confier.
Un ami, tu lui dis tes secrets.
L'amitié c'est la confiance.

Un ami te connaît, te comprend et t'écoute,
Il ne te laisse jamais sur le bord de la route.
L'amitié c'est le respect.

L'amour peut s'en aller,
Mais jamais l'amitié... (2x)

Les Misérables

Écoute et regarde la BD de Max ! Puis mets-la en scène avec tes camarades !

À Paris en 1832...

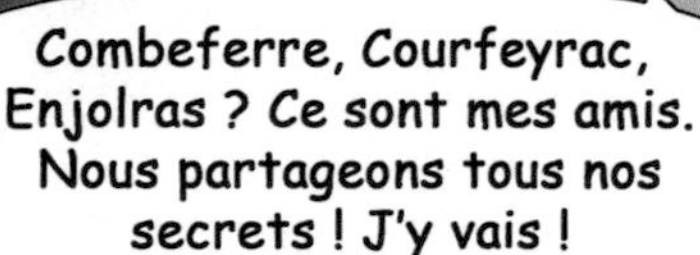

Le lendemain, au jardin du Luxembourg...
Il est tard, je me dépêche...
11

Oh, comme elle est belle ! Est-ce qu'elle vient souvent ici ?
12

13
Oh, comme il est beau ! Est-ce qu'il vient souvent ici ?

Quels beaux yeux, quel joli sourire !
14

Quels beaux yeux, quel joli sourire !
15

Le jour suivant...
Vive la liberté et la justice !
16

17
Vive l'amitié et... l'amour ! À bientôt !
Tu vas où ?
Au jardin du Luxembourg !

Ah, ah ! « Elle » habite au jardin du Luxembourg ?
Euh... je ne sais pas.
18

Où est-ce qu'elle va ? J'ai besoin de savoir où elle habite.
19

Lui parler... Est-ce que je pourrais lui parler ?
20

Ah ! Je l'ai perdue... Je suis désespéré !
21

À suivre...

Unité 5 On récapitule !

Consignes de classe

Ajoute une phrase ! *Entraîne-toi !* *Numérote les cases !* *Transforme les questions !*

Communication

Tu sais maintenant...

■ **interagir au téléphone :**
Allô (oui) ? Est-ce que je peux parler à L. ?
Je pourrais parler à L., s'il (te) vous plaît ?
Je voudrais parler à L., s'il (te) vous plaît !
J'aimerais parler à L., s'il (te) vous plaît !
Est-ce que L. est là ?
C'est de la part de qui ? C'est de la part de H.
Un instant, s'il (te) vous plaît. Ne quitte(z) pas.
Merci (beaucoup), au revoir !

■ **exprimer une nécessité :**
J'ai besoin de parler.
L'amitié a besoin de confiance.

■ **exprimer la cause :**
Pourquoi tu m'appelles ? - Parce que je veux te parler.

■ **saluer et prendre congé :**
Bonjour ! Bonsoir !
Au revoir ! À bientôt !
À demain ! À lundi !
À plus tard !

■ **dire que tu apprécies quelque chose ou quelqu'un :**
Quels beaux yeux ! Quel joli sourire !
Vive l'amitié !

Vocabulaire

Valeurs, sentiments, communication

l'amour *(m.)*
l'amitié *(f.)*
la confiance
l'égalité *(f.)*
la fraternité
l'harmonie *(f.)*
la justice
la liberté
le respect
le secret
le sourire
le texto (le SMS)
la tolérance

Jours de la semaine (rappel)

lundi
mardi
mercredi
jeudi
vendredi
samedi
dimanche

Verbes

s'accepter
avoir besoin de
s'en aller
se comprendre
se confier
laisser
parler à (U 4)
partager
perdre
se respecter
se voir

Adjectifs, adverbes, conjonctions et interjections

allô !
beau, bel, belle
bientôt
demain
désespéré(e)
égal (pl. égaux)
énervé(e)
libre
parce que
pourquoi
(plus) tard
vive !

Certains mots n'ont pas été l'objet d'un entraînement systématique et n'apparaissent pas ici. Ils sont toutefois indiqués en italique quand ils seront ou pourront être réutilisés plus tard.

Grammaire

Le verbe *voir*

je vo**is**, tu vo**is**, il / elle / on voi**t**, nous vo**yons**, vous vo**yez**, ils / elles voi**ent**
On se voit bientôt ?

Le verbe *s'en aller*

je m'en **vais**, tu t'en **vas**, il / elle / on s'en **va**, nous nous en all**ons**, vous vous en all**ez**, ils / elles s'en **vont**
Pourquoi tu t'en vas ?

La locution verbale *avoir besoin de*

Elle exprime la nécessité.
J'**ai besoin d'**un ami. J'**ai besoin de** confiance.

Les conjonctions *pourquoi* et *parce que*

Ils expriment la cause.
Pourquoi tu es énervée ?
Parce que tu poses trop de questions.

L'adjectif *beau, bel*, belle, beaux, belles*

Il se place AVANT le nom (comme petit, grand, joli *ou* nouveau*) :*
Un **beau** sourire. Un **bel** homme. Une **belle** femme.
*devant un nom masculin commençant par ***a***, ***e***, ***i***, ***o***, ***u*** ou un ***h*** muet.

L'adjectif exclamatif *quel, quelle, quels, quelles !*

Quel joli sourire ! **Quels** beaux yeux !

Graphie

L'écriture du son [s]

Stratégies

Pour mieux t'entraîner à parler...

- Planifie ce que tu veux dire, par exemple si tu veux t'entraîner à « interagir au téléphone ».
- Entraîne-toi avec un(e) camarade : prépare ce que tu vas dire, comment tu vas le dire, avec quelle intonation, quel rythme, etc.
- Répète ce que te dit l'autre personne (professeur ou camarade) pour bien marquer que tu as compris. (A : *Juliette n'est pas là.* B : *Ah... Juliette n'est pas là.*)
- Fais répéter ce que tu n'as pas compris ou que tu n'es pas sûr(e) d'avoir compris. (*Pardon ? Je n'ai pas bien compris...*)

Culture et civilisation

Des amis célèbres

Astérix, Obélix et Idéfix

D'Artagnan et les Trois Mousquetaires

Naruto, Sasuke et Sakura

Chandler, Phoebe, Ross, Monica, Joey et Rachel

Tu en connais d'autres ? Trouve des dessins ou des photos et présente-les en français !

PROJET DE L'UNITÉ :
PARTICIPER À UNE DISCUSSION

Au secours !

1 Écoute et observe ! Puis raconte !

Image 1
Théo : Agathe ? On t'attend ! Tu es toujours en retard...
Agathe : Théo, ne m'agresse pas : je ne suis jamais en retard ! J'arrive...

Image 2
Racketteur : On a besoin d'argent et de ton portable !
Théo : Agathe ? Tu m'entends ?
Agathe : Au secours ! Au voleur ! Aidez-moi !

Image 3
Léa : Regarde ! Des racketteurs ! Vite, il faut appeler la police !
Théo : Je ne sais plus le numéro !
Léa : Dépêche-toi : c'est le 17 !

Image 4
Léa : Agathe ! Tu nous entends ? On arrive !

Image 5
Théo : Arrêtez-le !

Image 6
Policier : Ça va ? Il te manque quelque chose ?
Théo : Tiens, voilà ton portable !
Agathe : Non, il ne me manque rien. Merci, Théo et Léa : Vous êtes des héros !

2 Écoute et répète ! Puis note les lettres dans l'ordre ! Tu as deux écoutes !

A

le voleur

B

le racketteur

C

le policier

D

le médecin

E

le pompier

F

le héros

3 Complète à l'oral avec *jamais, pas, plus* ou *rien* !

1 Tu sais *quelque chose* ? Non, je ne sais ... .
2 Tu rackettes *toujours* les élèves devant le collège ?
Mais non, je ne rackette ... les élèves !
3 Lui, tu le connais ? Non, je ne le connais ... .
4 C'est un racketteur, comme toi ?
Mais non, ce n'est ... un racketteur !
5 Tu as *encore* un portable ?
Non, je n'ai ... de portable.
6 Tu connais *encore* ton numéro de portable ?
Non, je ne connais ... mon numéro.
7 Tu as *toujours* des problèmes ?
Mais non, je n'ai ... de problèmes !
8 Tu as *encore* quelque chose à dire ?
Non, je n'ai plus ... à dire !

		Négations
		ne ... pas
quelque chose	≠	ne ... rien
encore	≠	ne ... plus
toujours	≠	ne ... jamais

4 Écoute, lis et réponds !

En France, pour appeler en urgence un médecin, tu fais le 15 !
Pour appeler la police, tu fais le 17 !
Et pour appeler les pompiers, tu fais le 18 !

Tu peux aussi faire le 112, partout en Europe pour appeler un médecin, la police ou les pompiers.
En Belgique, tu peux appeler le 100 ou le 101.
En Suisse, c'est le 144 pour un médecin, le 117 pour la police et le 118 pour les pompiers !
Au Canada et aux États-Unis, le numéro d'urgence, c'est le 911 et au Royaume-Uni, c'est le 999 !

→ Et dans ton pays ? Tu fais quels numéros ? ...

5 Écoute et répète ! Puis repère les numéros d'urgence en France et dans le monde !

10 dix
20 vingt
30 trente
40 quarante
50 cinquante
60 soixante
70 soixante-dix
80 quatre-vingts

Allô, la police ?

treize – quinze – seize – dix-sept – dix-huit – cent – cent un – cent deux – cent douze – cent quatorze – cent dix-sept – cent dix-huit – cent – cent quarante-quatre – cent cinquante – neuf cents – neuf cent onze – neuf cent quatre-vingt-six – neuf cent quatre-vingt-dix-neuf

90 quatre-vingt-dix
100 cent
101 cent un
110 cent dix
200 deux cents
320 trois cent vingt
500 cinq cents
990 neuf cent quatre-vingt-dix

Allô, les pompiers ?

1 Écoute bien ! Choisis une solution et discute avec ton voisin ou ta voisine ! **PROJET**

2 **Lis et réponds ! Tu es d'accord ? pas d'accord ? Ajoute une réponse si tu veux et explique ton point de vue !**

Les élèves sont violents et agressifs...

1 parce qu'ils regardent trop la télé et jouent à des jeux vidéo violents !
2 parce qu'ils sont malheureux !
3 parce que l'école ne les intéresse pas.
4 parce que leurs parents ne les punissent pas.
5 parce que leurs parents les punissent trop.
6 parce que les professeurs se moquent d'eux.
7 parce que pour eux, être « gentil », c'est être « faible ».
8 parce que ...

1 Écoute et dis qui fait quoi ! Tu as deux écoutes !

Exemple : Juliette appelle au secours.

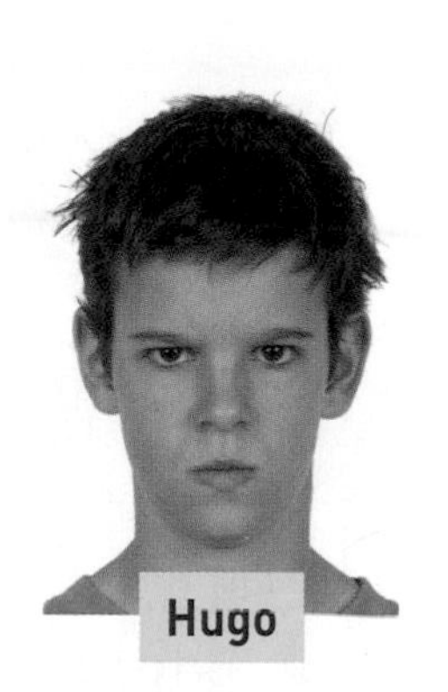

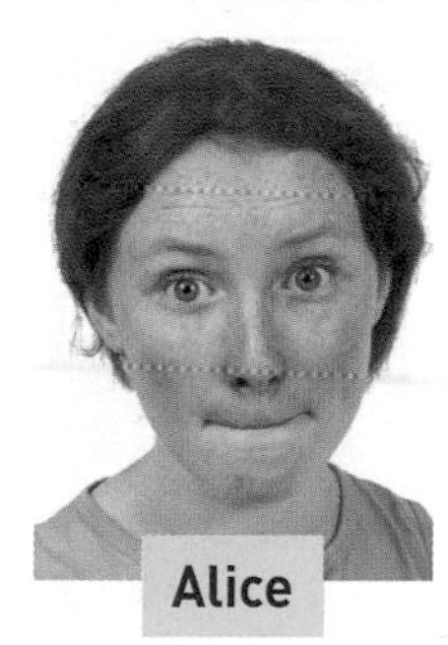

→ **Et toi ? qu'est-ce que tu fais ?** → Moi, je ...

2 **Les pronoms personnels COD 1re et 2e personnes du singulier et du pluriel** → **Complète à l'oral !**

me (m')	te (t')
nous	vous

1 Pauline à Lucas : Regarde le garçon : il est violent ! Il va ... agresser ?
2 Hugo : Tu ... attends ? Juliette : Oui, je ... attends, dépêche-toi !
3 M. Martin à la police : Je ... appelle pour un racket au collège !
4 Le professeur : Tu es paresseux et méchant : je vais ... punir ! L'élève : Non, monsieur ! Ne ... punissez pas !
5 Mme Dupont au téléphone avec un médecin : J'ai mal à la gorge ! Vous ... entendez ? – Oui, je ... entends très bien !
6 À la caserne des pompiers : Ici les pompiers ! Vous ... appelez pour quoi ?

3 **Écoute et répète les nombres de la colonne A ! Puis lis les nombres de la colonne B avec ton voisine ou ta voisine ! Qui lit le plus vite ?**

A		B
1 000	mille	**1 100**
2 000	deux mille	**2 510**
2 500	deux mille cinq cents	**3 600**
10 000	dix mille	**6 700**
30 000	trente mille	**20 800**
50 000	cinquante mille	**40 000**
90 000	quatre-vingt-dix mille	**65 000**
100 000	cent mille	**70 400**
200 000	deux cent mille	**150 000**
250 000	deux cent cinquante mille	**330 000**
900 000	neuf cent mille	**985 000**

VENTE AUX ENCHÈRES

Les bottes de Ziggy Starpop ! Mise à prix : 1000 euros !

Puis joue au « jeu des enchères » avec plusieurs camarades !

Exemple : A : Un portrait de Picasso ! Mise à prix : 20 000 euros ! **B :** 40 000 euros ! **C :** 50 000 euros ! **D :** 85 000 euros ! etc.

4 **L'écriture du son [ʒ]** → **Écoute et chante le rap !**

Le concierge ne va jamais dans le gymnase pendant l'orage !

Les Misérables

Écoute et regarde la BD de Max ! Puis décris un ou deux personnages : les Thénardier, Marius, Cosette ou Javert !

*un guet-apens : *un piège*

Consignes de classe

Choisis une solution !

Discute avec ton voisin !

Explique ton point de vue !

Communication

Tu as révisé comment…

■ **exprimer une nécessité, une obligation :**
On a besoin d'argent.
Il faut appeler la police.

■ **exprimer la cause :**
Les élèves sont agressifs parce qu'ils regardent trop la télé et jouent à des jeux vidéo violents.

■ **demander de l'aide :**
Au secours ! Aidez-moi ! Au voleur !

■ **faire des reproches :**
Tu es toujours en retard !

■ **exprimer ton point de vue :**
Je suis d'accord. Je ne suis pas d'accord.

■ **demander à quelqu'un de faire quelque chose :**
Dépêche-toi ! Arrêtez-le ! Entrez !

■ **donner ou rendre quelque chose à quelqu'un :**
Tiens, voilà ton portable !

Vocabulaire

Urgence et violence

le bandit
le héros
le médecin
le numéro
la police
le policier
le pompier
le problème
le racket
le racketteur
le secours
l'urgence (f.)
la victime
la violence
le voleur (U 3)

Noms de pays et d'une région du monde

la Belgique
l'Europe *(f.)*
le Royaume-Uni
la Suisse

Verbes

agresser
aider
appeler
arrêter
arriver
attendre
se bagarrer
dire
discuter
enlever
entendre
exclure
intéresser
manquer
mettre le feu (à)
se moquer (de)
obéir
(se) préparer
punir
racketter

Adjectifs, adverbes et pronom

agressif / agressive
encore
faible ≠ fort
horrible
jamais
plus
quelque chose
en retard
rien
toujours
violent(e)

Nombres

cent un
cent trente et un
deux cents[1]
quatre cent trente-deux
mille[2]
mille deux cents
deux mille
trois mille cinq cents
dix mille
cent mille
cent trente-trois mille
deux cent mille

1. *cent* prend un *s* au pluriel (*deux cents*) sauf quand il est suivi d'un autre nombre (*quatre cent trente-deux, deux cent mille*)
2. *mille* est invariable

Grammaire

Le verbe *obéir* (voir aussi ***punir***, ***finir***, ***réussir***…)

j'obé**is**, tu obé**is**, il / elle / on obé**it**, nous obé**issons**, vous obé**issez**, ils / elles obé**issent**

Le verbe *attendre* (voir aussi ***entendre***, ***vendre*** et ***perdre***)

j'atten**ds**, tu atten**ds**, il / elle / on atten**d**, nous atten**dons**, vous atten**dez**, ils / elles atten**dent**

Les pronoms personnels 1re et 2e personnes COD

	1re personne	2e personne
singulier	Tu **me** comprends ?	- Oui, je **te** comprends.
pluriel	Tu **nous** attends ?	- Oui, je **vous** attends.

* **m'** ou **t'** devant une voyelle **a**, **e**, **i**, **o**, **u**, **y** ou un **h** muet :

Tu **m'**entends ? - Oui, je **t'**entends !

La place du pronom avec un impératif :

Affirmation	Négation
Aide-**moi** ! Attends-**nous** !	Non, ***ne*** **m'**aide **pas** ! Non, ***ne*** **nous** attends **pas** !

Les négations *ne … rien, ne … plus, ne … jamais*

quelque chose Tu sais *quelque* chose !	ne … rien Non, je **ne** sais **rien**.
encore Tu as *encore* ton portable !	ne … plus Non, je **n'**ai **plus** mon portable.
toujours Tu es *toujours* en retard !	ne … jamais Non, je **ne** suis **jamais** en retard.

Graphie

L'écriture du son [ʒ]

Stratégies

Pour mieux apprendre…

Trouve des points communs entre les mots français et les mots de ta langue maternelle ou des mots d'une autre langue que tu connais (par exemple *héros*, *police*, *problème*, *violence*) : leur prononciation est-elle la même ? Leur graphie est-elle semblable ? Est-ce qu'ils veulent dire la même chose ? En les comparant ainsi, tu pourras mieux les retenir.

Culture et civilisation

En France…

Un policier

Une voiture de police

Des pompiers

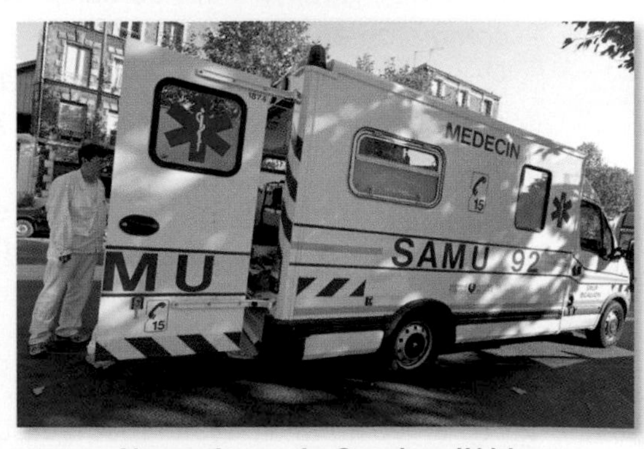

Une voiture du Service d'Aide Médicale d'Urgence (SAMU)

Compare avec ton pays ! Trouve ou fais des photos et légende-les en français !

On révise et on s'entraîne pour le DELF A1 !

Document à photocopier !

Nom : .... **Prénom :** ....

Compréhension de l'oral (10 points)

1 Écoute et coche les bonnes réponses ! Lis d'abord les phrases ! Tu as deux écoutes !

- ☐ Il y a du racket dans le collège de M. Lesage.
- ☐ Dans ce collège, il y a des élèves assez violents.
- ☐ Ils se bagarrent avec les professeurs.
- ☐ M. Lesage pense qu'il faut les punir.
- ☐ Il pense aussi qu'il faut discuter avec eux.
- ☐ Ces élèves deviennent agressifs parce qu'ils se sentent faibles.
- ☐ M. Lesage appelle souvent la police pour arrêter les racketteurs.
- ☐ Les policiers viennent au collège pour parler avec les élèves des problèmes de racket.

2 Écoute et numérote les situations ! Regarde d'abord les images ! Tu as deux écoutes !

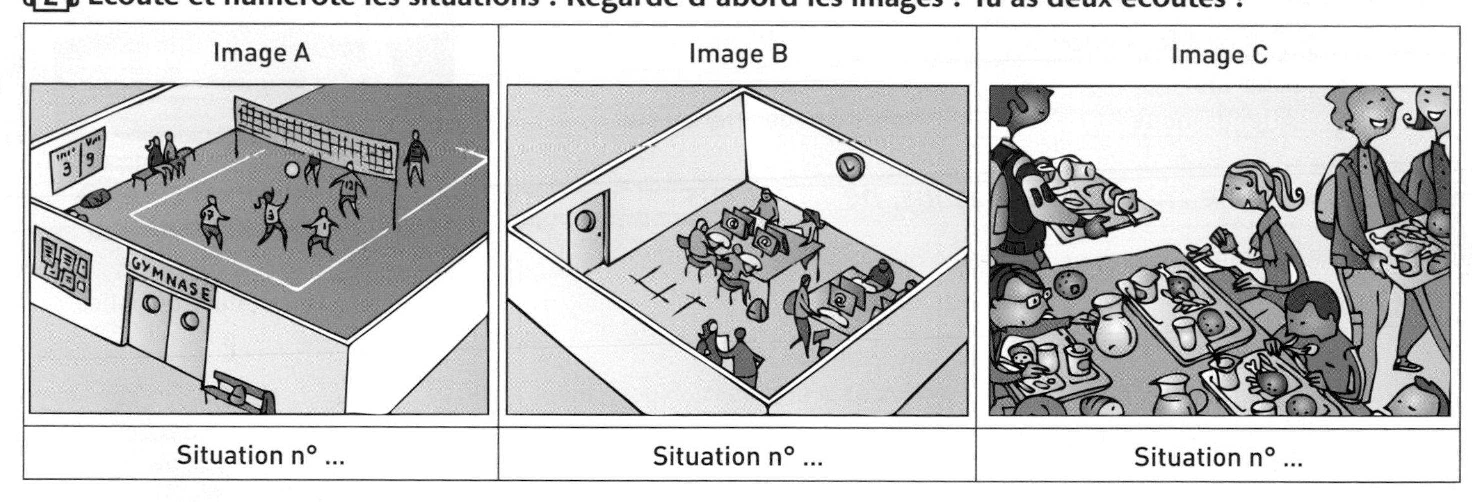

Image A	Image B	Image C
Situation n° ...	Situation n° ...	Situation n° ...

Compréhension des écrits (10 points)

1 Lis le journal intime de Zoé ! Puis écris vrai (V) ou faux (F) !

L'amitié

Pour moi, l'amitié c'est se comprendre, se respecter et s'accepter comme on est.

Pour moi, l'amitié c'est avoir confiance, ne pas avoir peur de dire des secrets. C'est pouvoir parler à ses amis quand on est triste ou malheureux.

Pour moi, l'amitié c'est ne pas se sentir plus fort, mais se sentir égaux et laisser ses amis libres de faire et de dire ce qu'ils veulent.

Zoé

1 Pour Zoé, l'amitié c'est le respect.

2 Elle a des amis tristes et malheureux.

3 L'amitié, pour Zoé, c'est aussi la confiance.

4 Mais elle préfère des amis plus forts qu'elle.

[2] Lis le rapport du Conseiller principal d'éducation sur Lilou et associe les images !

Exemple : 1-A

Rapport sur Lilou N., classe de 5ème C
- Lilou agresse ses camarades dans la cour de récréation.
- Elle n'obéit pas à son professeur de français.
- Elle dessine sur les murs du CDI.
- Elle se bagarre dans le hall du collège.
- Elle met le feu dans la salle de sciences (SVT).
- Elle doit aller voir Monsieur le principal avec ses parents !

Fait le 12 novembre, le CPE du collège

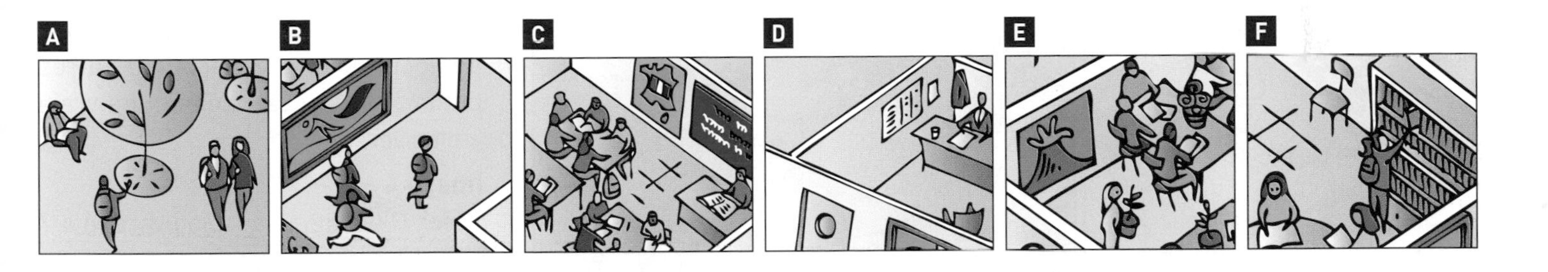

Production écrite (10 points)

Décris ton collège (ton école, ton lycée), ses lieux, les personnes qui y travaillent ! Décris aussi tes copains et tes copines de classe et leur caractère ! (60 mots environ)

Les lieux : Dans mon collège (mon école, mon lycée), il y a ...

Les personnes : ...

Mes copains et mes copines : ...

Production et interaction orales (10 points)

Tu veux téléphoner à ton ami Alex ou à ton amie Fanny pour l'inviter à ton anniversaire. C'est sa mère qui te répond !

Comment tu commences la conversation ?

Qu'est-ce que tu demandes à la mère d'Alex ou de Fanny ?

Qu'est-ce qu'elle te répond ?

Qu'est-ce qu'elle dit ensuite ?

Puis imagine la conversation entre toi et ton ami Alex ou ton amie Fanny !

**PROJET DE L'UNITÉ :
CHOISIR LES BONS « ÉCOGESTES »**

Mes paysages

1 Écoute et observe ! De quoi la nature a besoin, selon Léa ?

Image 1
Agathe : On a besoin d'un jardin pour filmer la première rencontre entre Marius et Cosette : il faut des arbres, des fleurs, des oiseaux, des papillons et un écureuil !

Image 2
Théo : Hou-là-là, il faut aller à la campagne, non ?
Max : Mais il y a des jardins et même des forêts à Paris !

Image 3
Léa : Au bois de Boulogne, il y a des écureuils et beaucoup d'autres petits animaux sauvages : une vraie « biodiversité » !

Image 4
Théo : C'est quoi, la « biodiversité » ?
Léa : La nature a besoin de beaucoup de variétés d'animaux et de plantes. Il faut les protéger. Beaucoup sont menacés !

Image 5
Théo : Il faut protéger toutes les plantes, tous les animaux ?
Léa : Euh... oui !

Image 6
Théo : Même cette araignée ?
Léa : Aaaah ! Au secours !

À suivre...

2 Écoute bien ! Quels mots tu n'as pas entendus ? Tu as deux écoutes !

3 Regarde l'exemple ! Puis travaille avec ton voisin ou ta voisine !

Regarde le bouquet !

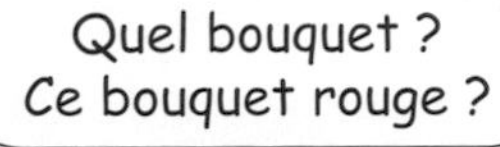

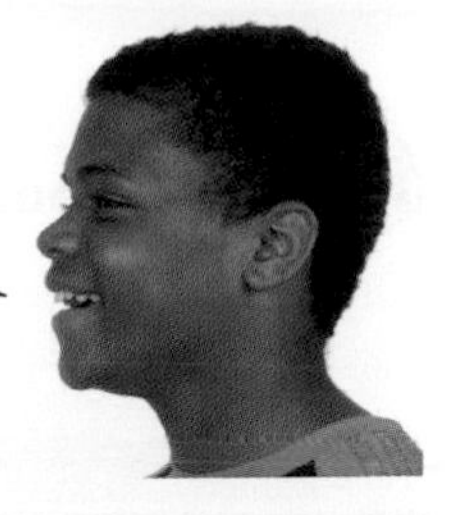

Non, ce bouquet jaune !

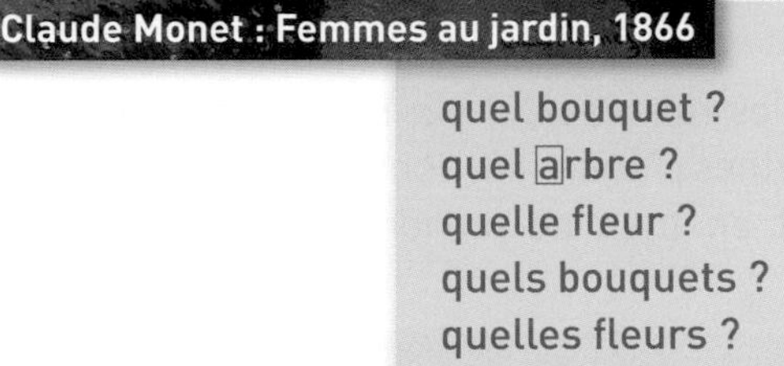

Claude Monet : Femmes au jardin, 1866

Utilise les mots suivants :
l'arbre
le bouquet
l'écureuil
les fleurs
l'oiseau
les papillons
la tortue

quel bouquet ?	→ ce bouquet
quel arbre ?	→ cet arbre
quelle fleur ?	→ cette fleur
quels bouquets ?	→ ces bouquets
quelles fleurs ?	→ ces fleurs

4 Écoute, lis et associe (avec la bonne image) ! Exemple : 1-A.

1 Agathe regarde le bouquet.
2 Léa entend le chant des oiseaux.
3 Max sent le parfum des fleurs.
4 Théo touche une rose : aïe !
5 L'écureuil goûte un fruit.

Les cinq sens

A  B  C  D  E 

5 Écoute bien ! Dis quels paysages Pierre aime et pourquoi ! Puis utilise les verbes *entendre, regarder, sentir, toucher, goûter* sur le même modèle !

Exemple : Je vais à la montagne pour entendre la musique des cascades !

la montagne

la campagne

la prairie

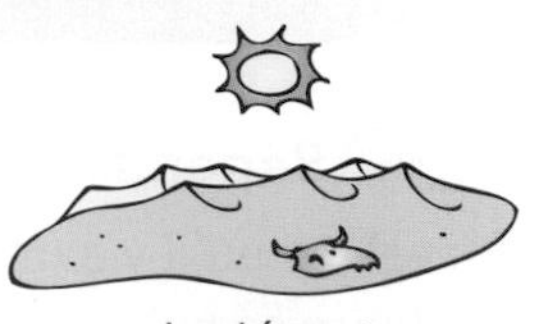
le désert

la cascade

le ruisseau

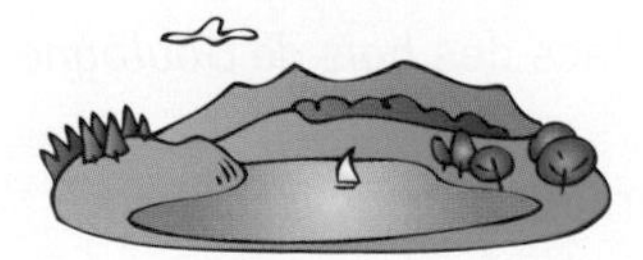
le lac

les étoiles dans le ciel

1 Écoute et lis !

« La nature dans la ville »

Des bois, des parcs et des jardins à Paris

La ville n'est pas un désert ! Explorez les bois, les parcs et les jardins de Paris : ils comptent près de 1 500 petits animaux sauvages et des milliers de plantes.

Au *Jardin des Plantes*, en plein centre de Paris, il y a une petite « forêt » et 2 000 plantes de montagnes. On y trouve aussi des plantes médicinales, des plantes de parfumerie et des plantes magiques !

Dans les bois de *Boulogne* et de *Vincennes*, tout près de Paris, la forêt abrite des oiseaux, des écureuils roux, des chauve-souris et même des renards.

Dans les prairies se cachent des souris, des insectes, des araignées et des escargots. Les papillons, eux, ne sont pas timides et adorent voler de fleur en fleur.

Dans les lacs et les ruisseaux, il y a beaucoup de poissons, mais aussi des tortues d'aquarium dont les enfants ne veulent plus ! Elles sont en train de prendre la place des autres espèces !

Le *parc de Bagatelle*, dans *le bois de Boulogne*, est un parc romantique où il y a des grands arbres, des petits ponts, des cascades et des jardins de fleurs avec 1 200 variétés de roses ! Attention, ne les touchez pas !

Pour la Fête de la Nature, découvrez ces bois, ces parcs et ces jardins ! Faites du vélo et du roller dans les allées ! Faites du bateau sur les lacs ! Faites du cheval ou du poney ! Mais goûtez aussi la nature et respectez-la : écoutez le chant des oiseaux, sentez le parfum des fleurs et regardez la lumière du soleil dans l'eau des ruisseaux !

2 **Réponds aux questions !**

1 Où est-ce qu'il y a une « forêt » au centre de Paris ?
2 Explique ce qu'est une « plante de parfumerie » !
3 Donne le nom de trois petits animaux sauvages !
4 D'où viennent les tortues des lacs des *bois de Boulogne* ou de *Vincennes* ?
5 Comment s'appellent les fleurs du *parc de Bagatelle* ?
6 Qu'est-ce qu'on peut faire dans les bois, les parcs et les jardins de Paris pour la Fête de la Nature ?

PROJET

1 **Lis et choisis les écogestes* dans l'ordre de tes préférences ! Puis explique !**

A

En ville, je mets des plantes sauvages sur mon balcon ou à ma fenêtre pour créer de la biodiversité !

B

Après un pique-nique dans une forêt, dans un parc ou dans une prairie, je ne laisse pas de déchets !

C

En ville, je mets de l'eau fraîche sur mon balcon ou à ma fenêtre pour les oiseaux et les insectes !

Des « écogestes » pour la biodiversité

Dans les forêts ou les parcs, je ne piétine pas les fleurs ou les plantes : je marche dans les allées !

Je ne mets pas les plantes, les poissons ou les tortues de mon aquarium dans les lacs ou ruisseaux !

En ville, je ne nourris pas les oiseaux avec du pain : cela n'est pas bon pour eux !

D

E

F

Mon premier choix : ...
Mon deuxième choix : ...

Mon troisième choix : ...
Mon quatrième choix : ...

Mon cinquième choix : ...
Mon sixième choix : ...

2 **Tu connais d'autres « écogestes » ? Explique-les** (en français ou dans ta langue maternelle) !

3 **Chante le rap de Théo !**

La nature est menacée ! Il faut la protéger : vive la biodiversité !
Pas de poison pour les poissons ! Pas de déchets dans les forêts !
Des papillons sur les balcons ! Vite, de l'eau pour les oiseaux !
La nature est menacée ! Il faut la protéger : vive la biodiversité ! (x2)

4 **L'écriture du son [z] → Écoute et lis !**

Un zoo dans le désert avec dix-huit oiseaux ? – Non, dix-huit zoos pour des animaux !

** L' « écogeste » est un geste écologique pour protéger la nature et respecter la biodiversité.*

Les Misérables

Écoute et regarde la BD de Max ! Puis raconte l'histoire !

Cosette ! Enfin !
Tu sais déjà mon nom ? Et toi, tu t'appelles comment ?
Marius !
Tu vois ces fleurs, cette lumière, ce soleil ? Tu entends ces oiseaux ?
C'est tout mon amour pour toi !
Oui, je sais !
Regarde cette rose ! Elle est comme toi : très belle !
Regarde cet écureuil ! Il est comme toi : très gentil !
Regarde ces papillons ! Ils sont comme nous : très heureux !
Tu sens le parfum des fleurs et des arbres ?
Tu entends le bruit de l'eau ?
Tu penses à quoi ?
Je pense à mon enfance, à mon passé !
Mais mon père est là pour me protéger. Et tu es là, toi aussi ! Alors, tout va bien maintenant !
À suivre...

Consignes de classe

Quels mots tu n'as pas entendus ? *Choisis dans l'ordre de tes préférences !* *Tu connais d'autres « écogestes » ?*

Communication

Tu sais maintenant…

■ **t'informer sur quelque chose ou quelqu'un :**
Tu regardes quel écureuil ?
Tu regardes quelle jeune femme ?
Qu'est-ce que c'est que ce livre ?
Tu penses à quoi ?

■ **identifier quelque chose ou quelqu'un :**
Je regarde cet écureuil roux.
Je regarde cette jolie jeune femme blonde.

■ **rassurer :**
N'aie pas peur ! Tout va bien maintenant !

■ **parler de tes cinq sens :**
Je touche ; je sens ; je regarde ; j'entends (j'écoute) ; je goûte.

■ **comparer :**
Il est comme toi. Ils sont comme nous.

■ **classer :**
La première rencontre. Mon deuxième choix.

Vocabulaire

Animaux

l'araignée *(f.)*
la chauve-souris
l'écureuil *(m.)*
l'escargot *(m.)*
l'insecte *(m.)*
l'oiseau *(m.)*
les oiseaux *(m. pl.)*
le papillon
le poisson
le renard
la souris
la tortue

Flore et paysages

l'allée (f.)
l'arbre *(m.)*
le balcon
la biodiversité
le bois
le bouquet
le bruit
la campagne
la cascade
le choix
le déchet
le désert
la fleur
la forêt (U 3)
le jardin
le lac
la lumière
la montagne
la nature
le parc
le parfum
le paysage
la plante
la prairie
la rose
le ruisseau
les ruisseaux *(m. pl.)*
la ville

Verbes

abriter
découvrir
explorer
goûter
laisser (U 5)
marcher
menacer
mettre
nourrir
penser (à)
protéger
respecter
sentir
toucher

Adjectifs et adverbe

(le) premier, (la) première
(le, la) deuxième
(le, la) troisième
(le, la) quatrième
(le, la) cinquième
(le, la) sixième
(le, la) septième
(le, la) huitième
(le, la) neuvième
(le, la) dixième
sauvage
comme

Certains mots n'ont pas été l'objet d'un entraînement systématique et n'apparaissent pas ici. Ils sont toutefois indiqués en italique quand ils seront ou pourront être réutilisés plus tard.

Grammaire

Le verbe *mettre* (voir aussi *permettre*)

je me**ts**, tu me**ts**, il / elle / on me**t**, nous met**tons**, vous met**tez**, ils / elles met**tent**

Le pluriel des noms en *-eau*

Ces mots prennent un **-x** *au pluriel :*
un chapeau, des chapeau**x**
un gâteau, des gâteau**x**
un oiseau, des oiseau**x**
un ruisseau, des ruisseau**x**

Les adjectifs numéraux ordinaux

un : (le, un) **premier**, (la, une) **première**
deux : (le, la, un, une) deux**ième**
trois : (le, la, un, une) trois**ième**
quatre : (le, la, un, une) **quatrième**
cinq : (le, la, un, une) **cinquième**
six : (le, la, un, une) six**ième**
sept : (le, la, un, une) sept**ième**
huit : (le, la, un, une) huit**ième**
neuf : (le, la, un, une) **neuvième**
dix : (le, la, un, une) dix**ième**

Les adjectifs interrogatifs *quel, quelle, quels, quelles* ? et les adjectifs démonstratifs *ce, cet, cette, ces*

	singulier	pluriel
masculin	**Quel** parc ? **Ce** parc.	**Quels** parcs ? **Ces** parcs.
	Quel arbre ? **Cet*** arbre.	**Quels** arbres ? **Ces** arbres.
féminin	**Quelle** fleur ? **Cette** fleur.	**Quelles** fleurs ? **Ces** fleurs.

* devant ***a***, ***e***, ***i***, ***o***, ***u*** ou un ***h*** muet.

Graphie

L'écriture du son [z]

Stratégies

Pour lire et comprendre un texte long…

■ Essaie de comprendre d'abord l'idée générale du texte : tu n'as pas besoin de comprendre tous les mots pour comprendre le texte !
■ Appuie-toi sur les mots que tu connais déjà et sur les mots dont tu peux déduire le sens grâce au contexte ou aux illustrations (dessins, photos).
■ Tu peux ensuite chercher les mots que tu ne comprends pas dans un dictionnaire.

Culture et civilisation

Des peintres en France au XIXe siècle

Claude Monet : Les coquelicots, 1873

Pierre Auguste Renoir : La liseuse, 1874

Vincent Van Gogh : La chambre à Arles, 1889

Paul Gauguin : Nafea Faa ipoipo ?, 1892

Tu aimes ces tableaux ?
Fais une recherche sur ces peintres et une exposition dans la classe !

PROJET DE L'UNITÉ : RÉALISER UN JEU-TEST

Mes sorties

1 Écoute et observe ! Puis dis où Léa, Théo, Max et Agathe ont envie d'aller !

Image 1
Léa : On est dimanche. On sort cet après-midi ? Moi, j'ai envie d'aller au théâtre !
Théo : Au théâtre ? Non, je suis contre !
Agathe : Moi aussi.

Image 2
Léa : Alors, on va au cirque ?
Max : Le cirque ? Ça ne m'intéresse pas.

Image 3
Théo : Vous n'avez pas envie d'aller au concert ?
Agathe : Moi si !
Léa : Moi non, je ne suis pas d'accord...

Image 4
Max : Et la fête foraine ? Moi, je suis pour !
Léa : Eh bien, tu as tort : c'est idiot et dangereux !

Image 5
Agathe : C'est pas possible ! Tu n'es jamais d'accord !
Léa : Alors là, tu exagères !
Agathe : Et toi, tu m'énerves !
Max : Du calme ! Arrêtez !
Théo : Bon... Qu'est-ce qu'on fait ? Piscine ? Cinéma ? Stade ? Zoo ?

Image 6
Max : Et voilà : le dimanche, on regarde toujours la télé !

2 Écoute et répète ! Puis dis où, toi, tu as envie d'aller !

à + le = au
à + la = à la

le cinéma

le cirque

le concert

la fête foraine

la piscine

le stade

le théâtre

le zoo

3 Écoute et observe bien !

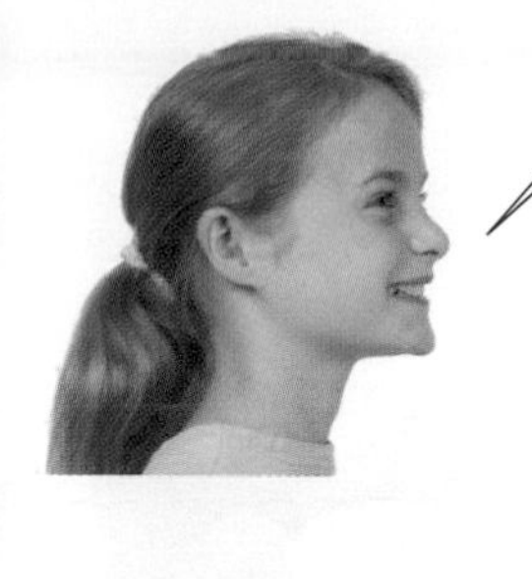

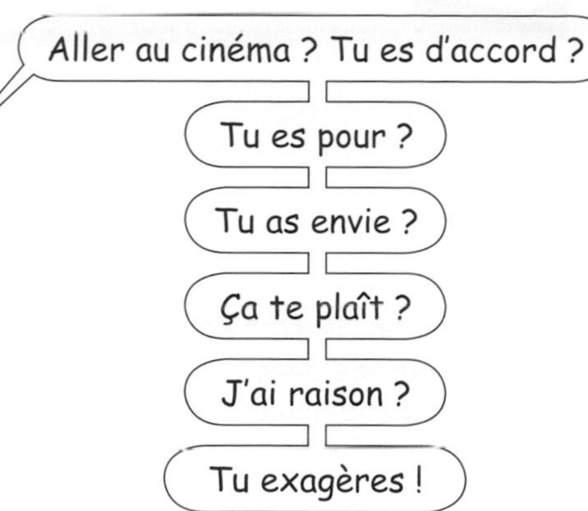

4 Reproduis ce dialogue avec ton voisin ou ta voisine ! Voici les questions :

1 Aller à la fête foraine ?

2 Manger une glace ?

3 Acheter des crêpes ?

4 Aller au centre commercial ?

5 Prendre le bus ?

6 Visiter un musée ?

5 Écoute et donne ton avis en utilisant *Pas moi ! Moi aussi ! Moi non plus* ou *Moi si* !

Exemples :

– Aujourd'hui, je n'ai pas envie de travailler ! → Moi non plus !
– Je suis fatigué ! → Moi aussi !
– J'aime marcher ! → Pas moi !
– Je n'aime pas rester à la maison ! → Moi si !

1 Je n'ai pas envie de regarder la télé ! → ...

2 Je préfère sortir me promener en ville ! → ...

3 Je n'aime pas les supermarchés, les centres commerciaux ! → ...

4 Regarder les boutiques, ça ne m'intéresse pas ! → ...

5 J'aime le bruit de la ville, des voitures, des bus et des motos ! → ...

6 J'adore marcher sous la pluie ! → ...

6 Complète à l'oral avec *envie, besoin, raison, tort* ou *peur* !

1 Tu n'as pas ... de faire tes devoirs ?

2 Tu as ... de jouer à l'ordinateur, tu devrais travailler !

3 Tu n'es pas bonne en maths. Tu as ... de t'entraîner, tu le sais !

4 Tu n'as pas ... d'avoir une mauvaise note à ton test demain ?

5 J'ai ... de te dire tout cela, non ?

Unité 8 LEÇON 2

1 Écoute et observe !

2 Sur ce modèle, choisis un des emplois du temps ci-dessous et réponds aux questions de ton voisin ou de ta voisine !

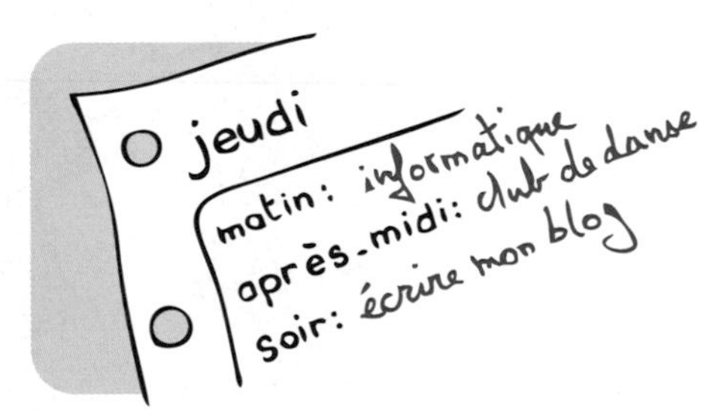

3 Qu'est-ce que tu fais *souvent* ? Qu'est-ce que tu fais *quelquefois*? Qu'est-ce que tu fais *toujours* ? Qu'est-ce que tu ne fais *jamais* ?

Exemples : Le lundi, je me lève **souvent** en retard ! – Le mardi, je vais **quelquefois** au club de théâtre. – Le dimanche, je prépare **toujours** le petit-déjeuner pour ma famille ! – Mais je **ne** me lève **jamais** avant 10 heures !

C'est à toi !

le matin	ce matin
l'après-midi	cet après-midi
le soir	ce soir

4 Complète à l'oral !

Exemple : Aujourd'hui, on est lundi. Le lundi matin, j'ai cours de musique. Mais ce matin, le professeur de musique n'est pas là !

1 Aujourd'hui on est mercredi : le ... après-midi, je n'ai pas cours. Mais ... ..., j'ai un test de français !

2 ..., on est ... : le vendredi ..., je vais dîner chez ma grand-mère. Mais ... soir, c'est ma grand-mère qui vient dîner à la maison !

3 ..., on ... ... : le jeudi ..., je fais du tennis. Mais cet ..., je vais au centre commercial.

4 ..., on ... ... : ... samedi ..., je vais toujours au théâtre. Mais ... soir, j'ai envie d'aller au concert.

5 ..., on ... dimanche : ... ..., je fais du jogging. Mais ... matin, je dors !

PROJET

JEU-TEST

Tu as envie de sortir ce week-end ?

1 Lis les questions et choisis une réponse ! Puis compare avec ton voisine ou ta voisine !

1 Tu as envie d'aller à un concert de musique classique ?
(a) D'accord ! La musique classique, j'adore !
(b) La musique classique, ça ne m'intéresse pas.
(c) La musique classique ? C'est nul !

2 Tu veux aller au cinéma voir un film d'action ?
(a) Désolé(e) : je préfère les films romantiques !
(b) Bien sûr, les films d'action, ça me plaît beaucoup !
(c) Je déteste aller au cinéma !

3 Tu voudrais aller au zoo ?
(a) Non, pas du tout : je suis contre les zoos !
(b) Je n'ai pas envie : je n'aime pas les animaux.
(c) Super ! Je vais prendre des photos !

4 Tu aimerais aller à la fête foraine ?
(a) Oui, j'ai envie de prendre le train fantôme !
(b) Ah non, la fête foraine, c'est trop dangereux !
(c) Non merci, je préfère regarder la télé.

5 Tu veux visiter le musée des sciences ?
(a) Un musée ? Ça ne me plaît pas du tout...
(b) Oui, pourquoi pas ? Et puis, je suis fort(e) en sciences !
(c) Je n'ai pas envie de sortir...

6 Tu aimerais aller au centre commercial ?
(a) Au centre commercial ? Mais il n'y a rien à faire ou à découvrir !
(b) Non, je n'ai pas d'argent à dépenser !
(c) Oui, j'adore regarder les boutiques !

7 Tu as envie d'aller te promener ?
(a) Je ne peux pas : je dois faire mes devoirs.
(b) Ça, c'est une super idée !
(c) Non, je n'ai pas du tout envie : il pleut !

8 Tu as envie d'aller au cirque ?
(a) Je suis d'accord ! Le cirque, c'est génial !
(b) Non mais, tu exagères ! Je n'ai pas 5 ans !
(c) Non ! Le cirque, ça n'est pas intéressant.

2 Prépare d'autres questions-réponses pour ce jeu-test avec d'autres lieux comme *la piscine*, *le stade* ou *le théâtre* !

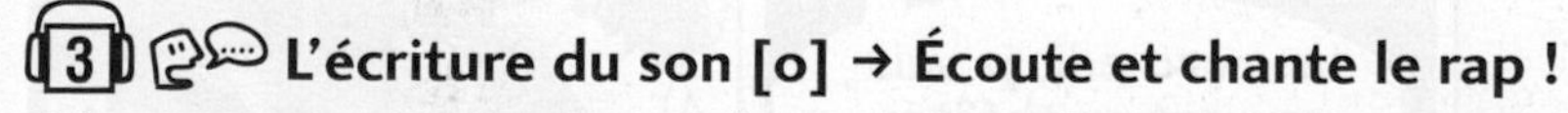
3 L'écriture du son [o] → Écoute et chante le rap !

Il fait beaucoup trop chaud dans ce train fantôme !

Les Misérables

Écoute et regarde la BD de Max ! Puis décris « l'emploi du temps » de Gavroche !

* Maximilien Lamarque : *Général et homme politique, il fut l'un des chefs de l'opposition républicaine pendant le règne de Louis-Philippe (la « monarchie de Juillet »). Son enterrement fut l'occasion de la première insurrection républicaine de ce règne les 5 et 6 juin 1832, au cours de laquelle les insurgés furent en grande partie massacrés par la garde nationale (voir pages 74-75).*

Unité 8 On récapitule !

Consignes de classe

Donne ton avis ! *Prépare d'autres questions-réponses !* *Reproduis le dialogue !*

Communication

Tu sais maintenant…

■ **exprimer ton accord :**
Ça te plaît ? Ça me plaît. Moi aussi.
Ça ne te plaît pas ? Moi non plus.
Je suis d'accord. Je suis pour !
Tu as raison !

■ **exprimer ton désaccord :**
Ça ne te plaît pas ? Moi si ! Pas moi !
Ça ne me plaît pas.
Je ne suis pas d'accord. Je suis contre !
Tu as tort !
Arrête ! Arrêtez ! Du calme !
Alors, là... C'est pas possible !
Tu exagères ! Tu m'énerves !

■ **exprimer ton envie ou ton intérêt :**
Tu as envie de quoi ?
J'ai envie d'aller au cinéma.
Ça m'intéresse.
Je trouve ça intéressant.

■ **exprimer ton absence d'envie ou d'intérêt :**
Je n'ai pas envie.
Ça ne m'intéresse pas.
Je ne trouve pas ça intéressant.

■ **remercier :**
Merci ! – De rien !

Vocabulaire

Lieux de sortie et… animaux du zoo

la boutique
le cinéma
le cirque
le concert
l'éléphant *(m.)*
la fête foraine
la girafe
le musée
la piscine
le singe
le stade
le théâtre
le zoo

Moments de la journée (révision) et de la semaine

le matin
l'après-midi *(m. ou f.)*
le soir
le week-end

Verbes

avoir besoin (de) (U 5)
avoir envie (de)
avoir peur (de)
avoir raison (de)
avoir tort (de)
énerver
exagérer
faire des courses
intéresser (U 6)
plaire
se promener
sortir

Adjectifs et adverbes

contre
dangereux (-euse)
intéressant(e)
jamais (U 6)
possible
quelquefois
souvent
toujours (U 6)

Certains mots n'ont pas été l'objet d'un entraînement systématique et n'apparaissent pas ici. Ils sont toutefois indiqués en italique quand ils seront ou pourront être réutilisés plus tard.

Grammaire

Le verbe *sortir*

je sor**s**, tu sor**s**, il / elle / on sor**t**, nous sor**tons**, vous sor**tez**, ils / elles sor**tent**

Le verbe *plaire*

je plai**s**, tu plai**s**, il / elle/ on pla**ît**, nous plai**sons**, vous plai**sez**, ils / elles plai**sent**

La locution verbale *avoir envie (de)*

Elle exprime le désir de faire quelque chose.
Qu'est-ce que tu as envie de faire ce soir ?
J'ai envie d'aller au cinéma.

Autres locutions verbales

avoir tort : Tu as tort !
avoir raison : Non, j'ai raison !
avoir besoin (de) : Tu as besoin de t'entraîner.
avoir peur (de) : J'ai peur d'aller à la fête foraine.

Les jours de la semaine et les moments de la journée

Aujourd'hui, on est **mardi**. *(Jour précis : pas d'article)*
Le mardi, on a cours de français. *(« Tous les mardis » : article défini)*
Le matin, je me réveille à 7 heures. *(« Tous les matins » : article défini)*
Mais **ce matin**, je me réveille à 10 heures. *(Moment et jour précis !)*

Les phrases clivées

Ça, c'est une super idée ! Le cirque, ça ne m'intéresse pas.
La musique classique, j'adore ! La fête foraine, c'est trop dangereux.
L'éléphant, c'est là où j'habite. Cette maison, elle me plaît.

Graphie

L'écriture du son [o]

Stratégies

Pour mieux apprendre…

Fais-toi un *emploi du temps* pour réviser ce que tu as appris en cours de français !
Par exemple :

Le lundi, je dis au moins deux phrases en français pendant la récréation !
Le mardi, je teste le vocabulaire dans le lexique.
Le mercredi, je relis les bandes dessinées.
Le jeudi, j'écris mon blog en français.
Le vendredi, je fais le point dans mon portfolio !
…

Culture et civilisation

Un cirque célèbre : le Cirque du Soleil

Une salle de concert à Paris : l'Olympia

Une fête foraine : la Foire du Trône

Un théâtre à Paris : la Comédie-Française

Cite les cirques, salles de concert ou théâtres célèbres de ton pays et présente-les en français !

PROJET DE L'UNITÉ : FAIRE DES RECHERCHES

Mes recherches sur Internet

1 Écoute et observe ! Et toi, tu as des informations sur la Révolution française ?

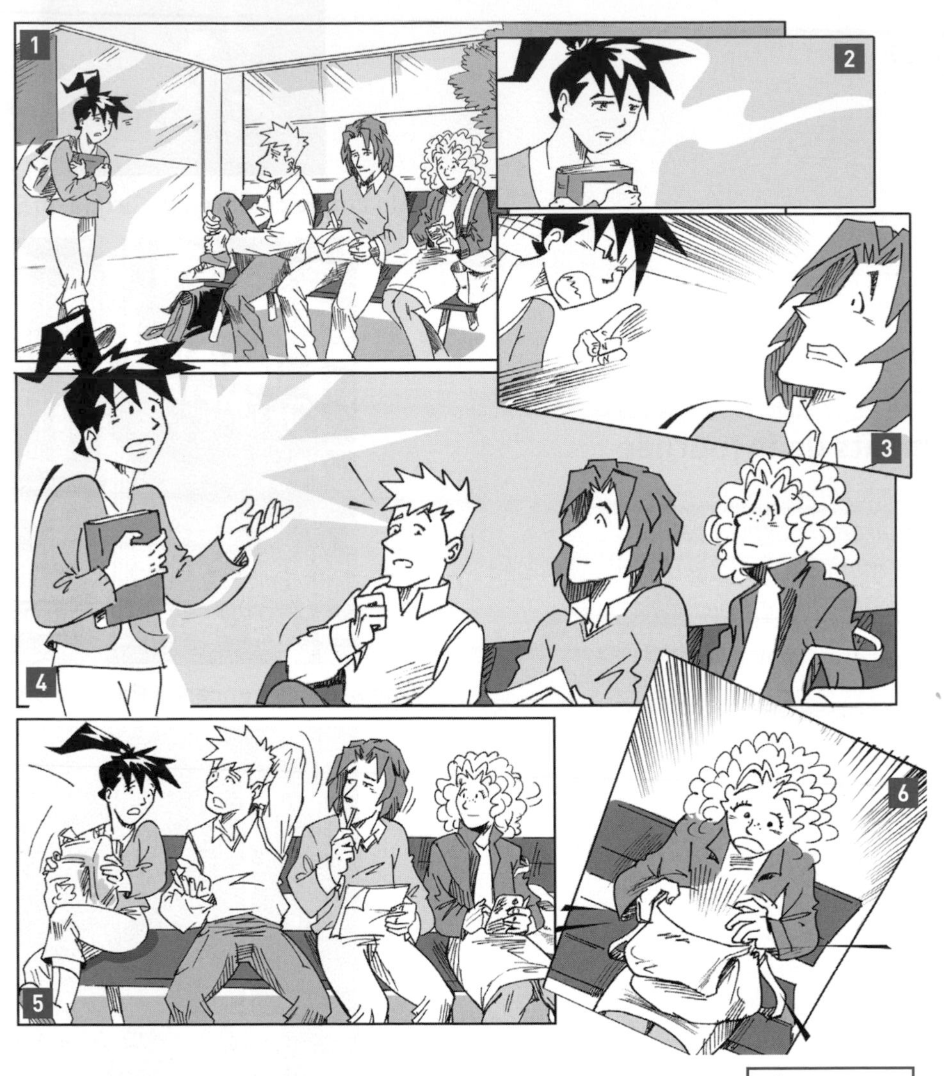

Image 1
Théo : Qu'est-ce qui ne va pas ? Tu as l'air inquiète !
Léa : J'ai lu la suite des « Misérables »...

Image 2
Max : Et alors ?
Léa : Marius et ses amis ont commencé à construire une barricade. Mais ils ne sont pas assez nombreux. Ils vont mourir. C'est horrible !

Image 3
Léa : C'est ta faute ! C'est toi qui dessines l'histoire !
Max : Mais non, ce n'est pas ma faute ! L'histoire est comme ça ! Je n'ai rien fait, moi...

Image 4
Léa : Justement ! Il faut faire quelque chose : nous devons aider Marius !
Théo : Et d'abord, pourquoi ils ont construit cette barricade ?

Image 5
Léa : Euh... c'est la révolution, non ?
Théo : Quelle révolution ? Celle de la « prise de la Bastille » ?

Image 6
Agathe : Mais non, on n'est pas en 1789 ! J'ai surfé sur Internet et j'ai trouvé des informations sur la Révolution française. Je vais vous expliquer. Zut ! J'ai oublié mon dossier...

À suivre...

2 Écoute, lis et répète ! **En France, en 1788-89...**

A

B

C

D

E

F

3 Écoute, lis et compare ! Note les différences !

Tu as fait des recherches sur l'histoire de France ?

Oui ! D'abord, j'ai écouté une émission à la radio.

Après, j'ai discuté avec mon professeur d'histoire.

Ensuite, j'ai cherché dans des livres au CDI.

J'ai trouvé des images dans une encyclopédie.

J'ai préparé un exposé.

Zut ! J'ai tout oublié au CDI !

Oui ! D'abord, j'ai regardé une émission à la télé.

Après, j'ai surfé sur Internet et j'ai trouvé des informations.

Ensuite, j'ai travaillé à la bibliothèque près de chez moi.

J'ai visité un musée et j'ai trouvé un tableau.

J'ai préparé un dossier.

Oh ! J'ai tout oublié chez moi !

4 Et toi, tu as fait des recherches sur ton pays (ou sur la France) ? Oui ? Sur quoi ?

Sur l'histoire ? Sur la géographie ? Sur une ville ? Sur le sport ? Sur la musique ? Sur la peinture ? Sur la mode ? Sur le cinéma ? Sur ...

Comment tu as fait ? Regarde le modèle du dialogue et explique !

5 Le passé composé → Transforme les phrases à l'oral !

Exemple : Hier, (commencer) un projet sur l'histoire de mon pays. → Hier, j'ai commencé un projet sur l'histoire de mon pays.

1 D'abord, (acheter) du papier et des crayons. → ...
2 Ensuite, (dessiner) le drapeau de mon pays. → ...
3 Après, (chercher) des images dans une encyclopédie. → ...
4 Puis, (surfer) sur Internet pour trouver des informations. → ...
5 Enfin, (préparer) un texte. → ...
6 Oh, (oublier) mon projet dans ma salle de classe ! → ...

Passé composé avec *avoir* =
***avoir* au présent**
+ participe passé

Participe passé des verbes en *–er* =
acheter → acheté

6 Le passé composé : La négation → Ton voisin ou ta voisine (A) te pose une question. Mais toi (B), tu réponds toujours non !

Exemples :

A : Tu as préparé ton exposé ? → **B :** Non, je **n'**ai **pas** préparé mon exposé.

A : Tu as trouvé des informations ? → **B :** Non, je **n'**ai **pas** trouvé ***d'***informations !

1 Tu as surfé sur Internet ? → ...
2 Tu as travaillé à la bibliothèque ? → ...
3 Tu as trouvé des images ? → ...
4 Tu as posé des questions à ton professeur ? → ...
5 Tu as cherché dans tes livres ? → ...
6 Tu as regardé des films ? → ...

A : Alors, tu n'as rien fait ? **B :** Non, je n'ai rien fait !

PROJET

1 Écoute et lis le dossier d'Agathe ! Repère les phrases au passé composé et écris les participes passés ! Transforme ensuite les phrases au présent !

Voici mon dossier. J'ai demandé à Max de faire les dessins !

La Révolution française

Dans les « Misérables », on voit Marius et ses amis construire une barricade pendant l'insurrection de 1832 à Paris. Comme en 1789 et en 1830, beaucoup de gens sur les barricades étaient pour la République et contre les privilèges de l'aristocratie.

Le 14 juillet 1789, le peuple de Paris a attaqué une prison, la Bastille, pour trouver des armes. La révolution a ensuite gagné toutes les villes et les campagnes de France.

Beaucoup de choses ont changé :

- D'abord, on a donné de nouvelles couleurs au drapeau français : le blanc pour la monarchie, le bleu et le rouge pour la ville de Paris.
- Ensuite, on a discuté à l'Assemblée nationale et proclamé la Déclaration des droits de l'homme. La devise de la France « Liberté. Égalité. Fraternité » vient de cette Déclaration.
- Trois années plus tard, en 1792, on a proclamé la première République française.
- À Marseille, on a chanté pour la première fois le nouvel hymne national, *la Marseillaise*.
- Mais on a aussi guillotiné, avec le roi et sa famille, des milliers d' « ennemis de la République ».
- Et on n'a pas oublié le 14 juillet : c'est le jour de la fête nationale de la France !

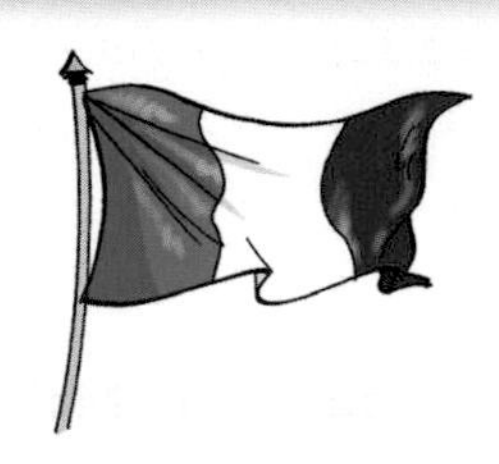

Le drapeau français

La devise de la France

La Marseillaise

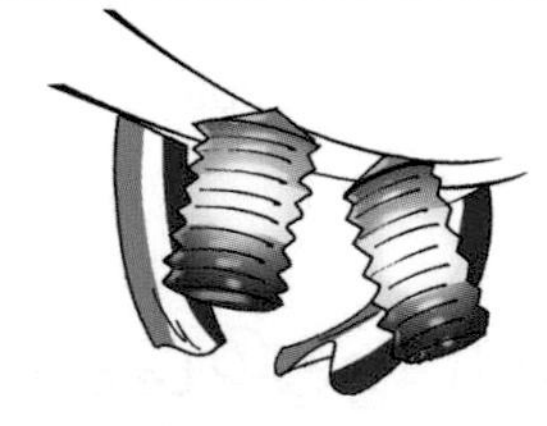

Le 14 juillet

2 Maintenant, réponds aux questions !

1 Quand a commencé la Révolution française ? En 1789 ? En 1790 ? En 1792 ?
2 Qui a attaqué la prison de la Bastille ? Les ennemis de la République ? Le peuple de Paris ?
3 On a donné quelles couleurs au nouveau drapeau français et pourquoi ?
4 Où est-ce qu'on a chanté pour la première fois l'hymne national ? À Marseille ? À Paris ?
5 Quelle est la devise de la France ? « Liberté. Tolérance. Égalité » ? « Liberté. Égalité. Fraternité » ?
6 Qu'est-ce qu'on fête le 14 juillet ? La fête nationale en France ? Les droits de l'homme dans le monde ?

1 Écoute l'exposé de Théo ! Puis décris « Marianne » !

Marianne

Avec Agathe, on a d'abord surfé sur Internet. On a trouvé la suite de l'histoire des révolutions en France :
« En 1814, on a rétabli la monarchie avec les frères de Louis XVI, le roi guillotiné : d'abord Louis XVIII et ensuite Charles X.
En 1830, Charles X, un roi autoritaire, a menacé le peuple et ses libertés. Alors le peuple s'est de nouveau révolté : il a attaqué le palais des Tuileries, la résidence du roi, et aussi l'Hôtel de Ville. Et il a construit des barricades pour se protéger... En 1832, une nouvelle insurrection contre le roi, Louis-Philippe, a commencé... »

La liberté guidant le peuple, d'après E. Delacroix

Après, on a visité le site du musée du Louvre. Nous avons trouvé ce tableau ! C'est un tableau d'Eugène Delacroix, un peintre romantique. Il représente une femme, « Marianne ». C'est le symbole de la liberté, de la révolution et de la République française !

Elle est sur une barricade. Elle a l'air calme, forte et courageuse. Derrière elle, il y a le peuple de Paris. Ils ont l'air nombreux. Elle leur montre le chemin avec le drapeau bleu, blanc et rouge.

À côté d'elle, il y a un enfant avec un béret et un gilet noirs. Lui aussi, il n'a peur de rien ! Il ressemble beaucoup à Gavroche, vous ne trouvez pas ? Devant eux, il y a des morts et des blessés. C'est horrible !

Ensuite, Agathe m'a emmené dans une mairie. Nous avons retrouvé « Marianne » : son buste est dans toutes les mairies de France ! Et son portrait est sur les timbres et sur les centimes d'euros français !

2 Vrai ou faux ? Si c'est faux, corrige !

1 En 1830, le peuple s'est révolté contre le roi Louis-Philippe.
2 « Marianne » est le symbole de la République française.
3 Elle porte un bonnet.
4 Elle marche derrière le peuple de Paris.
5 On peut voir « Marianne » dans toutes les mairies de France.
6 On peut aussi la voir aussi dans toutes les gares de France.

3 Les sons [ə], [e] et [ɛ] → Répète d'abord les phrases ! Puis lève la main quand tu entends une phrase au passé composé ! Tu as deux écoutes !

Exemple : **1** Je mange *(présent)*. J'ai mangé *(passé composé)*.

Les Misérables

Écoute et regarde la BD de Max ! Puis décris le caractère de Gavroche !

Tu peux porter une lettre ? Il y a l'adresse. Fais attention...
J'y vais !
Un peu plus tard...
"Adieu Cosette ! Je vais mourir. Je t'aime. Marius"
Tu viens d'où ?
De la barricade !
Allons-y vite !
Tout a l'air calme !
Attention Gavroche !
Je suis tombé par terre, c'est la faute à Voltaire...
...le nez dans le ruisseau, c'est la faute à...
Vous pouvez partir. Dépêchez-vous !
Mais, où est Marius ?
À suivre...

Unité 9 On récapitule !

Consignes de classe

Tu as des informations ?

Tu as fait des recherches ?

Transforme les phrases !

Communication

Tu sais maintenant...

■ **interroger quelqu'un sur ce qui va ou pas :**
Qu'est-ce qui ne va pas ?
Qu'est-ce qui se passe ?

■ **accuser et rejeter une accusation :**
C'est ta faute !
Non, ce n'est pas ma faute !
Je n'ai rien fait !

■ **dire ce que tu as fait :**
J'ai surfé sur Internet.
J'ai trouvé des informations.

■ **mettre en garde :**
Fais attention ! Attention !

■ **exprimer ta déception :**
Zut !

Vocabulaire

Révolution

l'aristocratie (f.)
l'arme (f.)
la barricade
le blessé
la devise
les droits de l'homme *(m. pl.)*
l'hymne national (m.)
l'insurrection *(f.)*
la monarchie
le mort
le peuple
la prison
les privilèges (m. pl.)
la république
la révolution
le symbole

Lieux et supports d'informations

la bibliothèque
le dossier
l'émission *(f.)*
l'encyclopédie *(f.)*
l'exposé *(m.)*
l'image *(f.)*
l'information *(f.)*
la mairie
les recherches *(f. pl.)*
le site
le tableau
le timbre

Verbes

attaquer
avoir l'air
chercher
commencer (U 3)
construire
expliquer
faire des recherches
guillotiner
mourir (U 3)
oublier
préparer
proclamer
ressembler à
se révolter
trouver
voir

Adjectifs, adverbes et prépositions

d'abord (U 3)
après
calme (U 3)
content(e)
enfin
ensuite (U 3)
horrible (U 6)
inquiet / inquiète
nombreux (-euse)
pendant
plus tard
puis (U 3)

Certains mots n'ont pas été l'objet d'un entraînement systématique et n'apparaissent pas ici. Ils sont toutefois indiqués en italique quand ils seront ou pourront être réutilisés plus tard.

Grammaire

Le verbe *commencer*

je commenc**e**, tu commenc**es**, il / elle / on commenc**e**, nous commen**çons**, vous commenc**ez**, ils / elles commenc**ent**

La locution verbale *avoir l'air*

Elle exprime l'apparence.
Elle a l'air inquiète. (*ou* Elle a l'air inquiet.)
Ils ont l'air contents. (*ou* Ils ont l'air content.)
Tout a l'air calme.

Le passé composé exprime des actions passées.

Le passé composé avec *avoir*
= ***avoir*** au présent **+ participe passé**
Tu as trouvé des informations ? – Non, je **n'**ai **pas** trouvé d'informations.

Le participe passé des verbes du 1er groupe :
trouver → trouv**é**
chercher → cherch**é**

Les adverbes de temps

D'abord, j'ai regardé une émission de télé.
Après, j'ai surfé sur Internet.
Ensuite, j'ai cherché des informations.
Puis j'ai trouvé le site du musée du Louvre.
Enfin, j'ai préparé mon exposé.

Phonétique

Les sons [ə], [e] et [ɛ]

Stratégies

Pour faire des recherches...

■ Si tu surfes sur Internet, ne visite pas trop de sites différents. Choisis de visiter les sites que ton professeur te conseille ou des sites reconnus, comme Wikipédia, par exemple.
■ Recoupe les informations que tu as trouvées sur Internet avec des informations trouvées dans un livre, un dictionnaire ou une encyclopédie : beaucoup d'informations sur Internet ne sont pas fiables !
■ Si tu fais un projet, un dossier ou un exposé, n'oublie pas de l'illustrer par des images ou des photos !

Culture et civilisation

Des sites pour tes recherches...

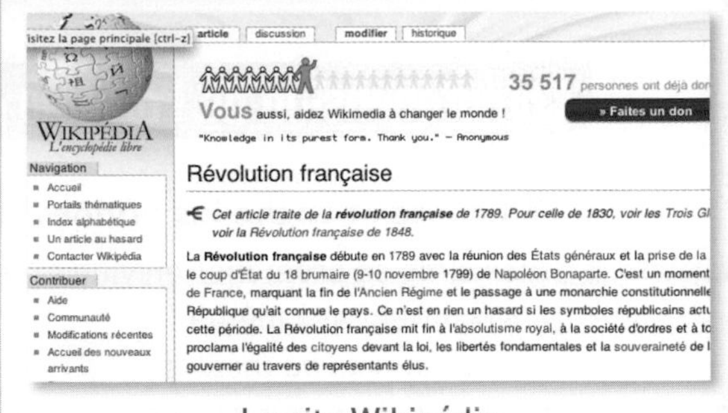

Le site Wikipédia
http://fr.wikipedia.org

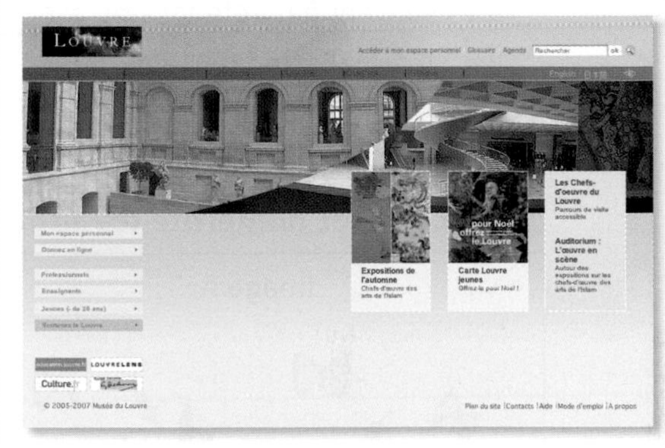

Le site du musée du Louvre
www.louvre.fr

Le site de la mairie de Paris
www.paris.fr

L'histoire de la révolution française
sur le site "Hérodote"
www.herodote.net

Et toi, tu connais quels sites ?
Présente-les en français !

On révise et on s'entraîne pour le DELF A2 !

Document à photocopier !

Nom : .... **Prénom :** ....

Compréhension de l'oral (10 points)

1 Écoute et coche les bonnes réponses ! Lis d'abord les phrases ! Tu as deux écoutes !

☐ Alex aime se promener en ville et regarder les magasins.
☐ Il va souvent au cinéma.
☐ Il ne va jamais au théâtre.
☐ Il adore la musique et va souvent au concert.
☐ Il déteste le cirque.
☐ Il va souvent à la fête foraine avec ses amis.
☐ Il adore aller à la piscine.
☐ Il aime bien rester à la maison et regarder un DVD.

2 Écoute et numérote les situations ! Regarde d'abord les images ! Tu as deux écoutes !

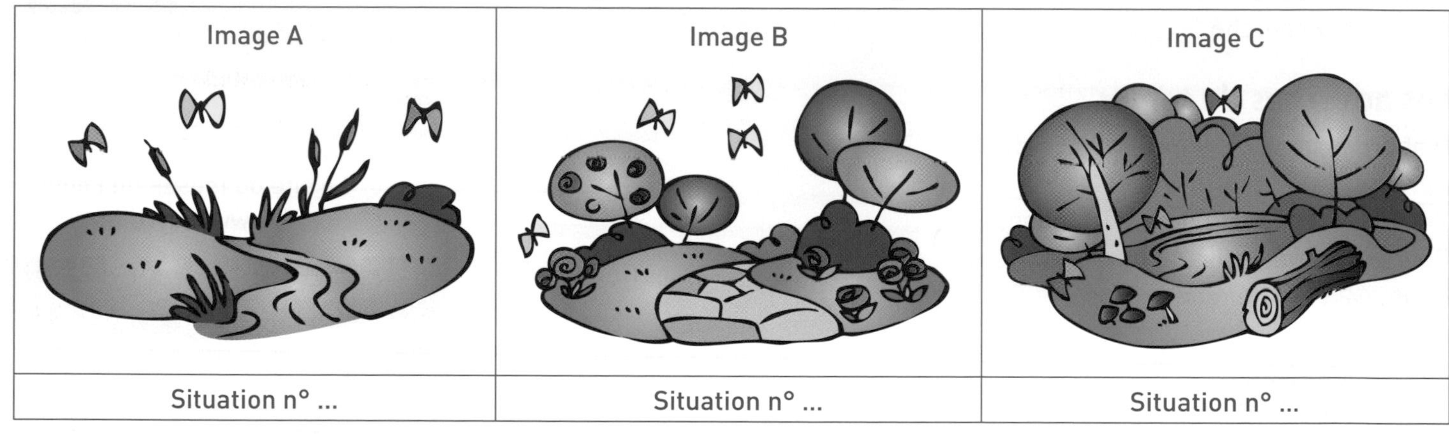

Image A	Image B	Image C
Situation n° ...	Situation n° ...	Situation n° ...

Compréhension des écrits (10 points)

1 Lis l'exposé de Pierre ! Puis coche les bonnes cases !

Voici ma recherche sur la biodiversité dans le désert ! Le désert abrite des milliers d'animaux : des grands et des petits mammifères, des insectes, des oiseaux, des reptiles, des araignées. Il fait très chaud, bien sûr, dans le désert et ces animaux ont des stratégies : beaucoup vivent sous la terre ou se cachent dans le sable et se protègent ainsi du soleil et de la chaleur. Ils dorment pendant la journée et sortent la nuit ! Ils ne boivent pas beaucoup ou ne boivent même jamais !
Voici une photo du renard du désert : le fennec ! Il boit très peu, mais il mange de tout : des souris, des petits reptiles, des oiseaux et des insectes.

☐ Il n'y a pas de biodiversité dans le désert.
☐ Les oiseaux ne peuvent pas vivre dans le désert.
☐ Les animaux du désert dorment la nuit.
☐ Ils se cachent sous la terre ou le sable.
☐ Ils n'ont pas besoin de boire beaucoup.
☐ Le fennec est de la famille des renards.

2 **Lis les publicités des hôtels et associe chaque hôtel avec les activités qu'il offre !**

Hôtels

Hôtel Bellevue
Charmant petit hôtel de 20 chambres au pied de la montagne. Restaurant, piscine. Vue magnifique !

Hôtel-Restaurant « Le Lac »
60 bungalows dans un magnifique jardin avec bar et restaurant. Terrasse donnant sur le lac. Des vacances dans un cadre naturel !

HÔTEL GOLF RESTAURANT DU PARC
Un hôtel romantique de **35 chambres** confortables à proximité des célèbres jardins de fleurs. Piscine, sauna, fitness.

Hôtel du Louvre
Luxe, calme et tranquillité au cœur du Paris historique, près du musée du Louvre. Confort exceptionnel.

Activités

A Promenades en bateau, pédalo, natation, ski nautique, planche à voile, pêche, promenades à vélo.

B Visite du musée, concerts à l'Opéra, sorties au théâtre, au cinéma, shopping dans les grands magasins.

C Ski, snowbike, snowboard, randonnées et promenades balisées, escalade, natation.

D Visite du parc, de ses ponts, de ses grottes, de ses cascades et de ses jardins de roses. Natation, golf.

Production écrite (10 points)

Tu écris à un copain ou à une copine pour lui proposer des idées de sorties pendant la semaine et le week-end ! (60-70 mots)

Bonjour, ça va ? Lundi, on pourrait aller ... parce que ...
Mardi, ...

Production et interaction orales (10 points)

Imagine que tu es « Marianne » ou « Gavroche » (dans le tableau d'Eugène Delacroix ci-contre) !

Tu t'appelles comment ?
Tu as quel âge ?
Décris-toi (taille, couleur des cheveux, apparence physique, caractère, etc.)
Tu te trouves où ?
Qu'est-ce que tu as à la main ?
Qu'est-ce que tu fais ou qu'est-ce que tu vas faire ?
Est-ce que tu représentes, est-ce que tu symbolises quelque chose ?
Etc.

PROJET DE L'UNITÉ : OBSERVER SON ENVIRONNEMENT

Des endroits bizarres...

1 **Écoute et observe bien ! Puis raconte !**

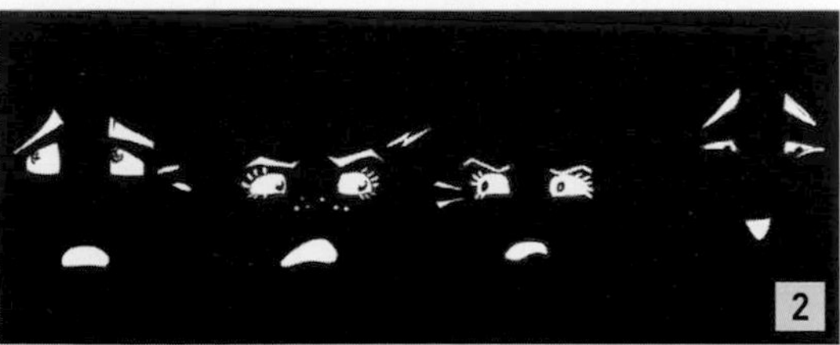

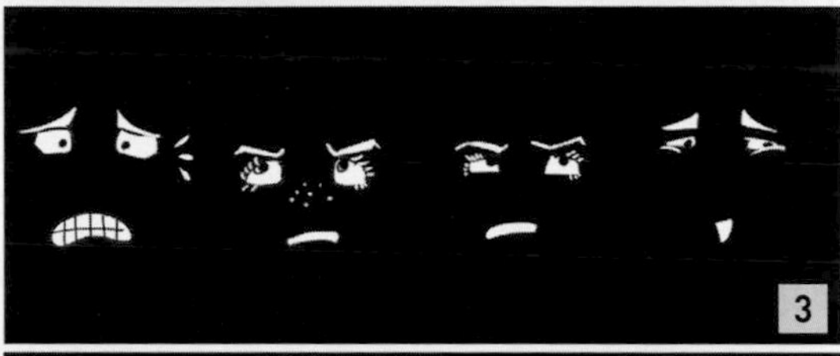

À suivre...

Image 1
Max : Je vais vous montrer quelque chose. Venez ! Attention à la porte !

Image 2
Max : Zut, ma lampe torche ! Elle a dû tomber ! Quelqu'un a vu ma lampe torche ?
Théo : Mais on ne voit rien ici !
Léa : Aïe, mon pied !
Agathe : Et on ne voit personne...

Image 3
Max : Chut ! ... Vous avez entendu ce bruit ?
Théo : Quoi ?
Max : Maintenant, on n'entend plus rien...

Image 4
Max : J'ai perdu ma lampe torche... Ah, la voilà ! Surprise !
Théo, Agathe, Léa : Aaaah !

Image 5
Agathe : C'est malin ! Tu as voulu nous faire peur. Mais ça ne marche pas avec nous !
Théo: Non, tu n'as pas réussi : on n'a pas eu peur du tout !

Image 6
Léa : On est où, ici ?
Max : Dans les égouts* de Paris ! C'est bizarre, non ?
Théo, Agathe, Léa : Dans les égouts ? C'est cool !

2 **Écoute et répète ! Puis travaille avec ton voisin ou ta voisine !**

Tu entends quelque chose ?

Tu vois quelqu'un ?

Non, je **n'entends rien** !

Non, je **ne** vois **personne** !

1 Tu sais quelque chose ? → ...
2 Il y a quelqu'un ? → ...
3 Tu dis quelque chose ? → ...
4 Tu connais quelqu'un ? → ...
5 Tu cherches quelque chose ? → ...
6 Tu penses à quelqu'un ? → ...
7 Tu attends quelqu'un ? → ...
8 Tu comprends quelque chose ? → ...

quelque chose ≠ ne ... rien
quelqu'un ≠ ne ... personne

*les égouts : *des canaux souterrains pour l'écoulement des eaux de pluie et des eaux usées.*

3 Regarde les exemples et complète à l'oral !

Exemples : – Tu as *encore* entendu *quelque chose* ? – Non, je **n'**ai **plus rien** entendu.
– Tu as *déjà* appelé la police ? – Non, je **n'**ai **pas encore** appelé la police.
– Tu as *souvent* peur ? – Non, je **n'**ai **jamais** peur !

1 Tu es souvent fâché ? → ...
2 Tu as déjà mangé ? → ...
3 Tu as encore trouvé quelque chose ? → ...
4 Tu as encore vu quelqu'un ? → ...
5 Tu as déjà visité un musée ? → ...
6 Tu as souvent visité des égouts ? → ...

encore quelque chose ≠ ne ... plus rien
encore quelqu'un ≠ ne ... plus ... personne
déjà ≠ ne ... pas encore
souvent ≠ ne ... jamais

4 Lis et explique (dans ta langue) la différence entre *depuis* et *il y a* !

Une vue des égouts de Paris

– Bonjour ! Vous connaissez Paris ? – Oui, J'habite à Paris *depuis* cinq ans. J'ai visité la tour Eiffel *il y a* quatre ans. Je connais le jardin du Luxembourg *depuis* trois ans. J'ai aussi découvert l'Arc de triomphe *il y a* deux ans, et le Sacré-Cœur *il y a* six mois... Et j'ai visité les égouts de Paris et les catacombes* *il y a* trois jours ! C'est fantastique : *depuis* trois jours, je ne dors plus !

Et toi ? Depuis combien de temps tu habites dans ta ville, ton village, ton quartier ? Tu as visité des monuments, des musées, des attractions touristiques ? Il y a longtemps ? Raconte !

→ J'habite à ... depuis ... . Il y a ..., j'ai visité ... .

5 Le passé composé avec *avoir* → Écoute, lis et associe !

Exemple : 1-B

1 – Vous avez lu quelque chose sur Paris ? – J'ai lu un dossier sur les égouts de Paris.
2 – Euh... ça vous a plu ? – Oui, ça m'a beaucoup plu !
3 – Et... vous avez voulu les visiter ? – Oui, j'ai voulu visiter cet endroit bizarre.
4 – Vous avez pu y aller ? – Oui, j'ai pu y aller avec mes amis.
5 – Qu'est-ce que vous avez vu ?
6 – Au début, je n'ai pas su où j'étais. C'était un peu effrayant.
7 – Mais après une heure de visite, nous avons dû partir. Quel dommage !

A devoir
B lire
C plaire
D pouvoir
E savoir
F voir
G vouloir

6 Maintenant, recopie la liste des verbes à l'infinitif et écris leur participe passé !

*les catacombes : *un cimetière souterrain.*

1 Écoute et lis le dialogue entre Théo et Max ! Qui a raison et qui a tort, selon toi ? Pourquoi ?

Max : Viens ! On va filmer les égouts !

Théo : Mais c'est très dangereux et assez dégoûtant !

Max : Mais, non ! C'est fascinant ! Après, on va au cimetière du Père-Lachaise.

Théo : Un cimetière ? C'est un endroit effrayant avec des rats, des fantômes et des loups-garous !

Max : Pas du tout ! C'est un endroit calme et merveilleux avec des arbres, des oiseaux et des chats...

Théo : Toi, tu aimes les endroits bizarres...

Max : Non ! Moi, j'aime les endroits fantastiques !

Une vue du cimetière du Père-Lachaise à Paris

bizarre	dangereux	dégoûtant	effrayant	horrible
calme	fantastique	fascinant	merveilleux	sympathique

2 Travaille avec ton voisin ou ta voisine ! Associez les adjectifs ci-dessus avec les mots : *un cimetière, un désert, des égouts, un fantôme, une fête foraine, un film de vampires, un gobelin, un loup-garou, une momie, un monstre*... **C'est à vous !**

un loup-garou

Un loup-garou, c'est assez effrayant !

Non ! Un loup-garou, c'est vraiment fascinant !

3 Maintenant, complétez au passé composé !

Exemple : **A :** Tu as **attendu** dans la forêt ?
B : – Oui, j'ai **attendu** toute la nuit !

1 Tu as **m**... des bottes ? – Oui, j'ai ... des bottes en caoutchouc !
2 Tu as **p**... une lampe ? – Oui, j'ai ... une lampe torche.
3 Mais, tu as **p**... la lampe ? – Oui, j'ai ... la lampe, je ne sais pas où !
4 Alors, tu as **e**... un loup-garou ? – Non, je n'ai rien ... .
5 Tu as **a**... quelque chose ? – Oui, j'ai ... quelque chose !
6 Et qu'est-ce que tu as **c**... ? – J'ai ... que les loups-garous, ça n'existe pas !

apprendre → appris
comprendre → compris
mettre → mis
prendre → pris
ooo
attendre → attendu
entendre → entendu
perdre → perdu

4 Les sons [y] et [u] → Tu entends le son [u] de *loup-garou* ? Note les bonnes lettres ! Tu as deux écoutes ! Puis chante le rap !

On a entendu un loup-garou dans les égouts ! Vous l'avez vu ? Ça vous a plu ?

1 Écoute, lis et repère les verbes ! Note-les dans l'ordre à l'infinitif !

Bonjour ! C'est moi, Nosferatu le vampire ! J'ai découvert les catacombes de Paris il y a deux mois. J'ai ouvert la porte et j'ai senti un parfum merveilleux ! On m'a offert un lit : alors, j'ai dormi ici. J'ai réussi à retrouver des amis à moi... et j'ai fini par habiter dans cet endroit romantique !

dormir → dormi
finir → fini
réussir → réussi
sentir → senti
ooo
découvrir → découvert
offrir → offert
ouvrir → ouvert

2 Réponds : Vrai ou faux ?

1 Nosferatu dort dans les catacombes.
2 Il trouve l'endroit merveilleux et romantique.
3 Il habite ici depuis deux ans.
4 Mais il n'a pas d'amis.

3 Écoute et lis ! Nosferatu a retrouvé Surcouf, Harry Potter et d'Artagnan ?

A Il a été pirate.
Il a fait le tour du monde.
Il a eu beaucoup d'argent.

B Il a été sorcier.
Il a fait beaucoup de tours de magie.
Il a eu beaucoup d'amis.

C Il a été mousquetaire.
Il a fait beaucoup de sport.
Il a eu beaucoup d'aventures.

Maintenant, c'est à toi ! Choisis un personnage historique ou littéraire, par exemple *Merlin, Dracula, Henri VIII d'Angleterre*, un personnage de *Narnia*, etc. Présente-le sur ce modèle !

avoir → eu
être → été
faire → fait

4 Écoute et chante la chanson de Théo !

Il y a des endroits horribles et effrayants...
Qu'on a adorés, qu'on a détestés !
Il y a des endroits horribles et fascinants...
Qui nous font rêver, qui nous font trembler !
Des endroits très bizarres... des endroits de cauchemar ! (2x)

Les Misérables

Écoute et regarde la BD de Max ! Puis imagine la suite de l'histoire !

Tiens, tiens, camarade ! Tu as tué un homme ?

Tu as tué cet homme pour son argent, non ? Alors, donne-moi cet argent et je t'ouvre la porte.

C'est Thénardier ! Est-ce qu'il m'a reconnu ?
Tu l'as tué pour pas cher...

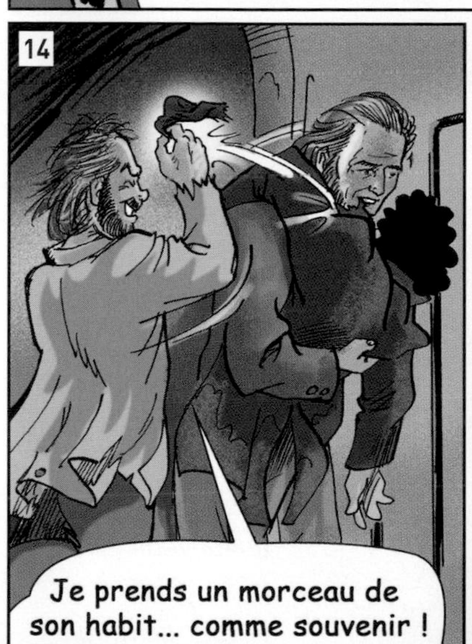
Je prends un morceau de son habit... comme souvenir !

J'ai vu Thénardier... et maintenant je vois Javert : c'est un vrai cauchemar !

Bonjour, Jean Valjean ! Montez avec Marius ! On le reconduit chez lui.

Oh, Monsieur Marius ! J'appelle un médecin !
Un peu plus tard...
Vous m'arrêtez ?

Non, vous m'avez sauvé la vie : partez, vous êtes libre !

À suivre...

Unité 10 On récapitule !

Consignes de classe

Explique la différence ! *Lis le dialogue !* *Recopie la liste !* *Repère les verbes !*

Communication

Tu sais maintenant…

■ **dire ce que tu as fait :**
J'ai pris une lampe torche.
J'ai visité les catacombes.

■ **exprimer la durée :**
J'habite à Paris depuis cinq ans.

■ **exprimer un moment du passé :**
J'ai découvert Paris il y a deux ans.

■ **exprimer ta surprise ou ta désapprobation :**
Tiens, tiens ! C'est malin !

■ **exprimer ton angoisse :**
C'est un vrai cauchemar !

■ **exprimer ta déception :**
Quel dommage !

■ **comparer :**
Je l'aime comme un père.

Vocabulaire

Endroits bizarres…

le bruit (U 7)
les catacombes *(f. pl.)*
le cauchemar
le cimetière
l'égout *(m.)*
l'endroit *(m.)*
la lampe torche
le loup-garou
la porte
le rat
le sorcier
le souvenir
la surprise
le tour de magie

Verbes

découvrir (U 7)
faire le tour du monde
filmer
finir
montrer
offrir
ouvrir
perdre (U 5)
reconduire
reconnaître
retrouver
réussir
sauver
tomber
trembler
tuer

Adjectifs

bizarre
cool
dégoûtant(e)
effrayant(e)
fantastique
fascinant(e)
libre (U 5)
malin(e)
merveilleux (-euse)

Adverbes, prépositions et pronoms

depuis
encore (U 6)
ici
pas du tout
personne
quelqu'un
vraiment (U 3)

Certains mots n'ont pas été l'objet d'un entraînement systématique et n'apparaissent pas ici. Ils sont toutefois indiqués en italique quand ils seront ou pourront être réutilisés plus tard.

Grammaire

Le verbe *ouvrir* (voir aussi *offrir* et *découvrir*)

j'ouvr**e**, tu ouvr**es**, il / elle / on ouvr**e**, nous ouvr**ons**, vous ouvr**ez**, ils / elles ouvr**ent**

Le passé composé avec *avoir* (suite)

Il a **été** pirate. Il a **fait** le tour du monde.

Le participe passé des verbes en *–oir* et en *–re* = *–u*
avoir → **eu**, devoir → **dû**, pouvoir → **pu**, savoir → **su**, voir → **vu**, vouloir → **voulu**
lire → **lu**, plaire → **plu**
attendre → **attendu**, entendre → **entendu**, perdre → **perdu**

Attention !
apprendre → **appris**, comprendre → **compris**, prendre → **pris**

Le participe passé des verbes en *–ir* (1) = *–i*
dormir → **dormi**, finir → **fini**, réussir → **réussi**, sentir → **senti**

Le participe passé des verbes en *–ir* (2) = *–ert*
découvrir → **découvert**, offrir → **offert**, ouvrir → **ouvert**

Les négations *ne ... personne, ne ... pas encore*

quelqu'un Tu as vu *quelqu'un* ? *Quelqu'un* a appelé ?	personne Non, je **n'**ai vu **personne**. **Personne n'**a appelé.
déjà Tu as *déjà* fini ?	ne ... pas encore Non, je **n'**ai **pas encore** fini.

Il y a et *depuis*

Il y a *est utilisé dans une phrase au passé composé et indique le moment où l'action a eu lieu* : Il a découvert Paris **il y a** 3 ans.
Depuis *est utilisé dans une phrase au présent et indique que l'action dure encore* : Il habite à Paris **depuis** 3 ans.

Phonétique

Les sons [y] et [u] : Tu as vu un loup-garou ?

Non ! Mais j'ai vu ce bandit de Thénardier !

Culture et civilisation

Le cimetière du Père-Lachaise

Les égouts de Paris

Les catacombes

**Tu aimes ces endroits bizarres ?
Décris en français
des endroits bizarres que tu connais
dans ta ville ou dans ta région !**

PROJET DE L'UNITÉ : FAIRE UNE RECETTE

On se prépare

1 **Écoute et repère les aliments sur les images de l'activité 2 !**

Image 1
Théo : Qu'est-ce que vous faites ?
Léa : On se prépare : c'est le mariage de Marius et de Cosette !
Théo : Marius et Cosette se marient ? C'est pas possible !

Image 2
Léa : J'ai apporté trois boîtes de thon, deux paquets de riz, un kilo de tomates et des olives noires : je vais faire une salade de riz !

Image 3
Théo : Et là, il y a des canettes de coca, des briques de jus d'orange, des bouteilles d'eau, des sachets de bonbons, du champagne... et une tablette de chocolat ?

Image 4
Léa : La tablette de chocolat, c'est pour moi !

Image 5
Agathe : Moi, j'ai tous les ustensiles de table : les assiettes, les verres, les fourchettes, les couteaux, les cuillères et les serviettes.

Image 6
Max : Et moi, j'apporte la « pièce montée » !
Théo : Alors là, c'est fantastique !

2 **Écoute et répète ! Puis ferme les yeux et teste-toi :** 1 ? une boîte de thon – 2 ? ...

1

une boîte de thon

2

un kilo de tomates

3

un paquet de riz

4

une tablette de chocolat

5

une canette de coca

6

une bouteille d'eau

7

un sachet de bonbons

8

une brique de jus d'orange

3 **Associe les instructions de la recette (en désordre) aux dessins !**

Exemple : A-1

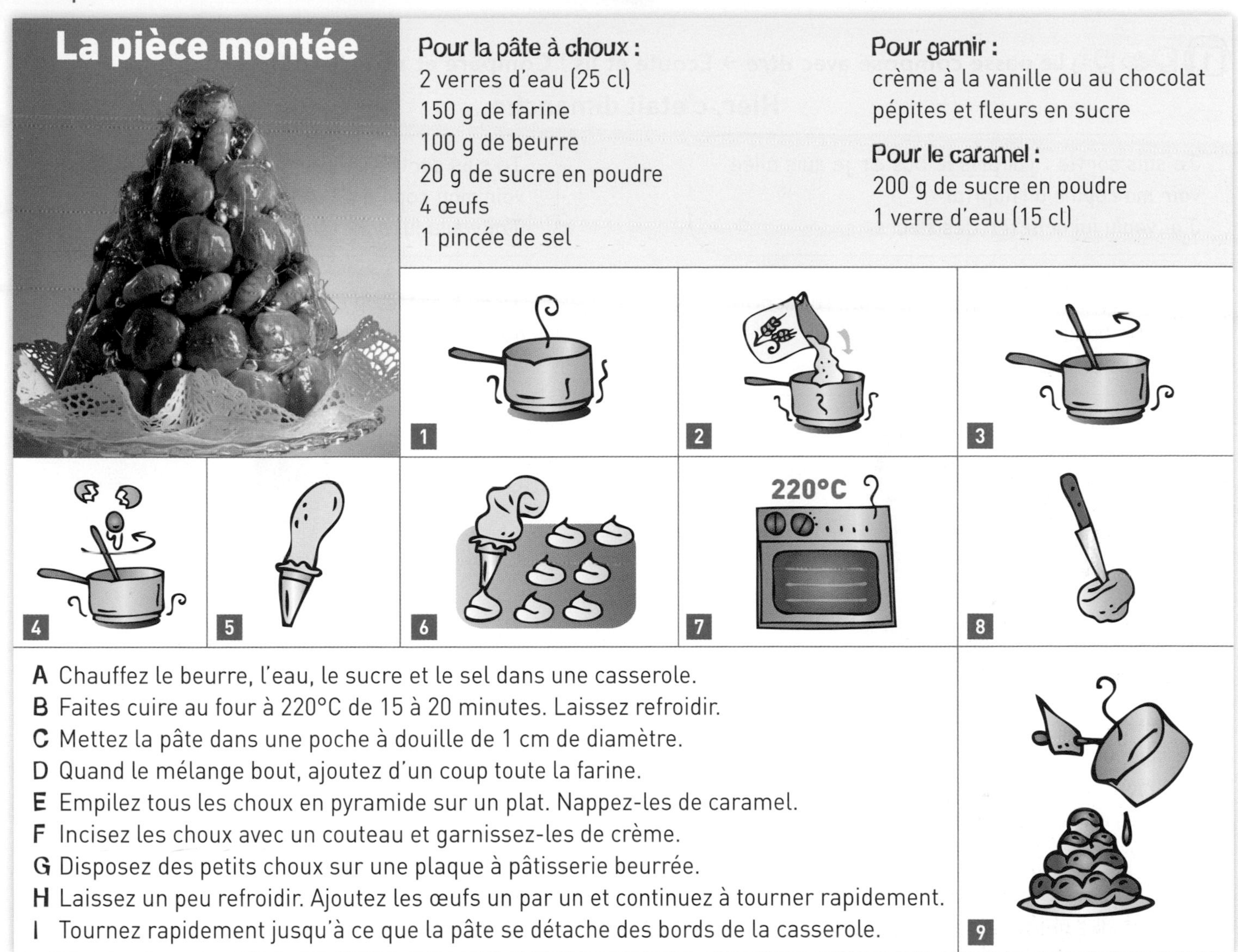

La pièce montée

Pour la pâte à choux :
2 verres d'eau (25 cl)
150 g de farine
100 g de beurre
20 g de sucre en poudre
4 œufs
1 pincée de sel

Pour garnir :
crème à la vanille ou au chocolat
pépites et fleurs en sucre

Pour le caramel :
200 g de sucre en poudre
1 verre d'eau (15 cl)

A Chauffez le beurre, l'eau, le sucre et le sel dans une casserole.
B Faites cuire au four à 220°C de 15 à 20 minutes. Laissez refroidir.
C Mettez la pâte dans une poche à douille de 1 cm de diamètre.
D Quand le mélange bout, ajoutez d'un coup toute la farine.
E Empilez tous les choux en pyramide sur un plat. Nappez-les de caramel.
F Incisez les choux avec un couteau et garnissez-les de crème.
G Disposez des petits choux sur une plaque à pâtisserie beurrée.
H Laissez un peu refroidir. Ajoutez les œufs un par un et continuez à tourner rapidement.
I Tournez rapidement jusqu'à ce que la pâte se détache des bords de la casserole.

Et n'oublie pas de tester la recette avec tes amis ! Bon appétit !

4 **Écoute et répète ! Puis joue au jeu de loto !**

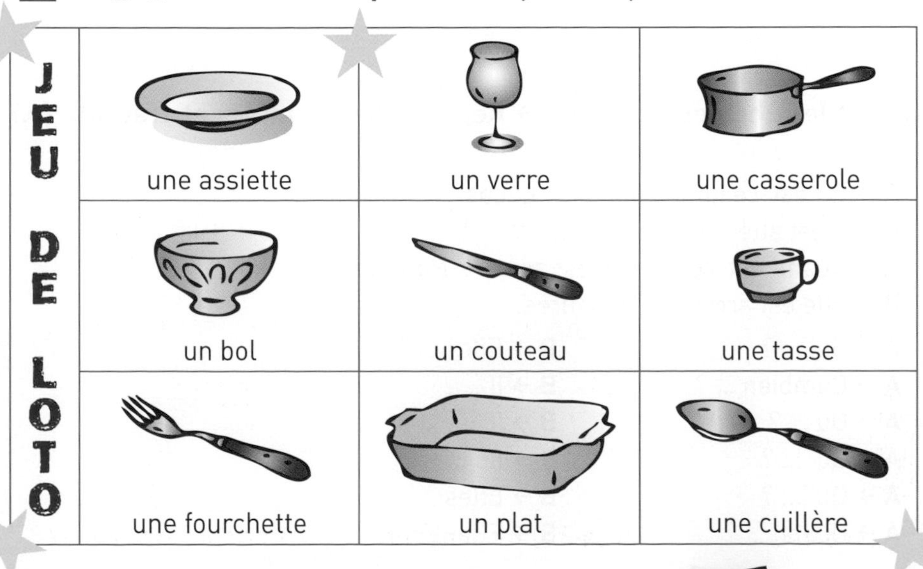

Tu as besoin de neuf pions (jetons ou petits morceaux de papier). Choisis trois images. Mets un pion (jeton, papier) sur chacune des trois images. Écoute le CD ! À chaque fois que tu entends le nom d'un objet, mets un pion (jeton, papier) sur la bonne image. Dès que tu as recouvert toutes les images, dis « loto » ! Si tu ne t'es pas trompé(e), c'est toi le champion ou la championne de loto !

Puis joue avec ton (ta) voisin(e) !

1 Le passé composé avec *être* → Écoute et lis ! Compare et note les différences !

Hier, c'était dimanche...

Je suis sortie : j'ai pris le bus et je suis allée voir ma copine à l'hôpital.
J'ai voulu lui acheter des fleurs.

Je suis entrée chez le fleuriste et j'ai acheté un petit bouquet de fleurs.
J'ai payé cinq euros.

Je suis sorti : j'ai pris le métro et je suis allé voir mon copain à la clinique.
J'ai voulu lui acheter un cadeau.

Je suis passé au centre commercial et j'ai acheté un gros sachet de bonbons.
J'ai payé cinq euros.

Je suis arrivée à l'hôpital à 10 heures et je suis montée dans sa chambre.
Je suis redescendue à 12 heures.

Je suis restée deux heures : on a envoyé des SMS et des photos à toute la classe !
Je suis arrivée en retard pour le déjeuner !

Je suis arrivé à la clinique à 17 heures et je suis monté dans sa chambre.
Je suis redescendu à 19 heures.

Je suis resté deux heures : on a joué à des jeux vidéo !
Je suis arrivé en retard pour le dîner !

2 **Et toi ? Qu'est-ce que tu as fait hier ? Imagine : tu es allé(e) voir un copain ou une copine. Regarde le modèle du dialogue et explique !**

→ Hier, c'était ... . J'ai (Je suis) ... .

3 **Les questions avec *est-ce que* et les phrases « clivées » → Regarde les exemples et travaille (A) avec ton voisine ou ta voisine (B) !**

Exemples : – Qu'a fait Lucas hier ? **A** → Qu'**est-ce qu'il** a fait hier, **Lucas** ?
B → Il est allé voir son copain.
– Quand est arrivée Pauline ? **A** → Quand **est-ce qu'elle** est arrivée, **Pauline** ?
B → Elle est arrivée à 10 heures.

1 Qu'a acheté Pauline ?	**A** → Qu' ... ?	**B** → Elle ... .
2 Combien a coûté le sachet de bonbons ?	**A** → Combien ... ?	**B** → Il ... .
3 Où est monté Lucas ?	**A** → Où ... ?	**B** → Il ... .
4 Qu'ont fait Lucas et son copain ?	**A** → Qu' ... ?	**B** → Ils ... .
5 Qu'ont fait Pauline et sa copine ?	**A** → Qu' ... ?	**B** → Elles ... .
6 Quand est partie Pauline ?	**A** → Quand ... ?	**B** → Elle ... .

1 Le passé composé avec *être* → Écoute et lis ! Compare et note les différences !

Je me suis réveillé à 7 heures.
Je me suis levé.
Je me suis préparé.
Je me suis d'abord habillé.
Puis j'ai pris mon petit déjeuner.
Je me suis coiffé.
Je me suis dépêché.
J'étais très nerveux : j'ai oublié de mettre mon gilet !

Je me suis réveillée à 6 heures.
Je me suis levée.
Je me suis préparée.
J'ai d'abord pris mon petit déjeuner.
Puis je me suis habillée.
Je me suis coiffée.
Je me suis dépêchée.
J'étais très nerveuse : j'ai oublié de prendre mon bouquet !

Et puis, nous nous sommes vite retrouvés à la mairie et… nous nous sommes mariés !

2 Regarde l'exemple et travaille (A) avec ton voisin ou ta voisine (B) !

Exemple : Cosette (se lever) ? **A** → Cosette s'est lev**ée** ? **B** → Oui, elle s'est vite lev**ée**.

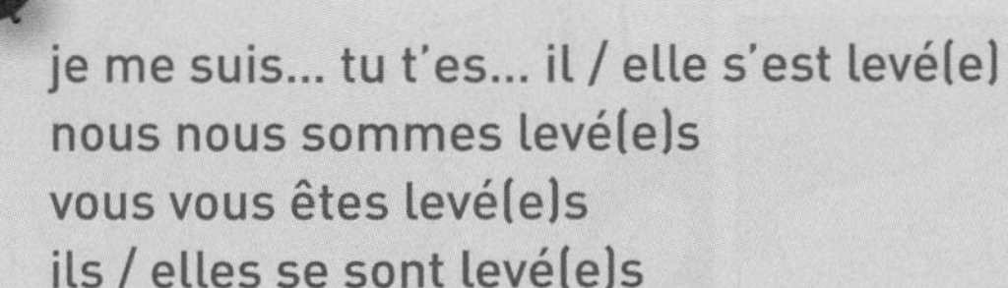

1 Marius (se préparer) ? → …
2 Cosette (s'habiller) ? → …
3 Marius (se coiffer) ? → …
4 Cosette et Marius (se retrouver) à la mairie ? → …
5 Ils (se marier) ? → …

3 Le préfixe *re-* → Regarde l'exemple et réponds ! Puis note tous les verbes commençant par *re-* !

Exemple : Tu as déjà lu ce livre ? → Oui, mais je dois le **relire** !

1 Tu as déjà commencé ton exposé ? → …
2 Tu as déjà visité cet endroit ? → …
3 Tu as déjà vu ce film ? → …
4 Tu as déjà dessiné ton portrait ? → …
5 Tu as déjà joué ce morceau de musique ? → …
6 Tu as déjà fait cet exercice ? → …

4 L'écriture du son [j] → Écoute et chante le rap !

Hier à mon réveil, j'ai essayé de m'habiller sans rien oublier !

Les Misérables

Écoute et regarde la BD de Max ! Puis mets-la en scène avec tes camarades !

Un mois plus tard...
Alors, quand est-ce que vous allez vous marier ?
Bientôt, la semaine prochaine !
Tous vos amis vont venir !
12
13
Mes amis... Ils sont tombés sur la barricade !
Vos amis sont des héros. Vous aussi, vous êtes un héros !
Une semaine plus tard...
14
Venez Marius, j'ai quelque chose à vous dire !
15
Je ne suis pas « Monsieur Madeleine ». Je m'appelle Jean Valjean. Je suis un ancien forçat.
16
Et je ne suis pas le père de Cosette...
17
18
Cosette
19
Cosette ! Qu'est-ce que je vais devenir ?
20
À suivre...

Unité 11 On récapitule !

Consignes de classe

Ferme les yeux !
Note les différences !
Suis la recette !
Teste-toi !

Communication

Tu sais maintenant…

■ **dire ce que tu as fait :**
Je suis entrée chez le fleuriste.
Je suis passé au centre commercial.

■ **exprimer une quantité :**
Un paquet de riz.
Un sachet de bonbons.
150 g de farine.

■ **décrire une situation dans le passé :**
Hier, c'était dimanche.
J'étais très nerveux.

■ **exprimer ta surprise :**
C'est pas possible ! Alors là !

■ **adresser un souhait :**
Bon appétit !

Vocabulaire

Contenants et quantités

la boîte
la bouteille
la brique
la canette
la casserole
le gramme (g)
le kilo (kg)
le paquet
le sachet
la tablette

Ustensiles de table

l'assiette *(f.)*
le couteau
la cuillère
la fourchette
le plat
la serviette
la tasse
le verre

Aliments, etc.

l'appétit *(m.)*
la farine
le mariage
la pièce montée
la recette
le riz
le sel
le thon

Verbes

aller voir
apporter
se coiffer
(re)descendre
devenir
entrer
envoyer
se marier
monter
passer
payer
rester
se retrouver
sauver (U 10)
soigner
tomber (U 10)

Adjectifs et adverbes

alors là !
hier
prochain(e)
tout, toute, tous, toutes

Certains mots n'ont pas été l'objet d'un entraînement systématique et n'apparaissent pas ici. Ils sont toutefois indiqués en italique quand ils seront ou pourront être réutilisés plus tard.

Grammaire

Le préfixe *-re*

Il indique qu'on fait à nouveau quelque chose.
J'ai vu ce film. → J'ai **re**vu ce film.
Je suis descendue. → Je suis **re**descendue.

Le passé composé avec *être*

Il est utilisé avec les verbes aller, venir, arriver, partir, monter, descendre, entrer, sortir, rester, passer, retourner, tomber *(ainsi que* naître et mourir : je suis né(e)..., je suis mort(e)...*).*
Pauline **est** arrivée en retard.
Lucas **est** resté deux heures.

Il est utilisé avec les verbes pronominaux :
Cosette **s'est** préparée.

Le pronom (me, te, se...) se place devant l'auxiliaire être *:*
Je **me suis** coiffé.

Quand on utilise être*, le participe passé s'accorde avec le sujet.*
Marius et Cosette se sont mar**iés**.

Les questions avec *est-ce que* et les phrases « clivées »

Qu'est-ce qu'il fait, Lucas ?
Quand est-ce qu'elle est arrivée, Pauline ?

L'adjectif indéfini *tout, toute, tous, toutes*

	singulier	pluriel
masculin	**tout le** gâteau	**tous les** garçons
féminin	**toute la** classe	**toutes les** filles

Il peut être combiné à des adjectifs possessifs ou démonstratifs :
Tous vos amis vont venir.
Regarde **toutes ces** pâtisseries !

Graphie

L'écriture du son [j]

Stratégies

Pour mieux apprendre...

Associie le geste à la parole !

■ Par exemple, pour apprendre les noms des ustensiles de table, mets le couvert et dis les mots en français en même temps que tu disposes les objets !

■ Ou bien, pour apprendre des noms d'aliments, fais une recette ! Puis envoie une carte d'invitation, en français bien sûr, à ta famille ou à tes amis pour déguster le plat ou le dessert que tu as préparé !

Culture et civilisation

D'autres pâtisseries...

La charlotte aux fraises

L'éclair au chocolat ou au café

Le millefeuille

La tarte tatin

Trouve les recettes de ces pâtisseries !
Compare avec les desserts de ton pays !

PROJET DE L'UNITÉ :
PARTICIPER À UN SONDAGE

On a fini !

1 Écoute et observe bien ! Puis retrouve dans le livre les scènes dont on parle !

Image 1

Agathe : Ça y est ! Le film est fini. Je pense qu'on va le mettre sur Internet !

Image 2

Max : Regardez ! Voilà la scène avec Cosette dans la forêt hantée... C'est la scène la plus triste.

Agathe : Non, pas du tout ! La scène la plus triste, c'est la scène sur la barricade...

Image 3

Léa : La scène sur la barricade, c'est la scène la plus effrayante !

Théo : Je pense que non : la scène la plus effrayante, c'est la scène dans les égouts...

Image 4

Max : Non ! Ça, c'est la scène la plus fascinante...

Théo : Non, je crois que tu as tort : la scène la plus fascinante, c'est le guet-apens !

Image 5

Agathe : Moi, je pense que cette scène est trop violente !

Max : Mais la scène la plus violente, c'est la mort de Fantine, non ?

Agathe : Non !

Image 6

Léa : Si vous voulez mon avis, je pense que c'est le film le plus génial !

2 Observe bien la question et les réponses d'Alice et de Pierre !

Jean Valjean est le père de Cosette ?

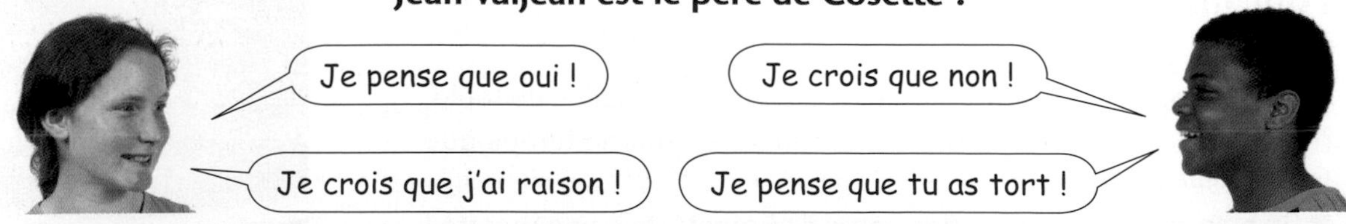

Maintenant, regarde le modèle et réponds aux questions avec ton voisin ou ta voisine !

1 Jean Valjean a été forçat au bagne parce qu'il a tué quelqu'un ?
2 Fantine est morte à cause de l'inspecteur Javert ?
3 Thénardier a reconnu Jean Valjean dans les égouts ?
4 Cosette sait qui est sa mère ?

3 Le superlatif → Regarde les exemples et réponds à l'oral !

Exemples : Cette scène est trop effrayante ! → Oui, c'est la scène **la plus** effrayante!
Ce jeu est trop violent ! → Oui, c'est le jeu **le plus** violent !

1 Ce film est trop génial ! → ...
2 Cette émission est trop idiote ! → ...
3 Cet endroit est trop bizarre ! → ...
4 Cette histoire est trop romantique ! → ...
5 Ce sport est trop dangereux ! → ...
6 Cette information est trop intéressante ! → ...

4 *Si... + c'est pour* → Écoute et observe bien !

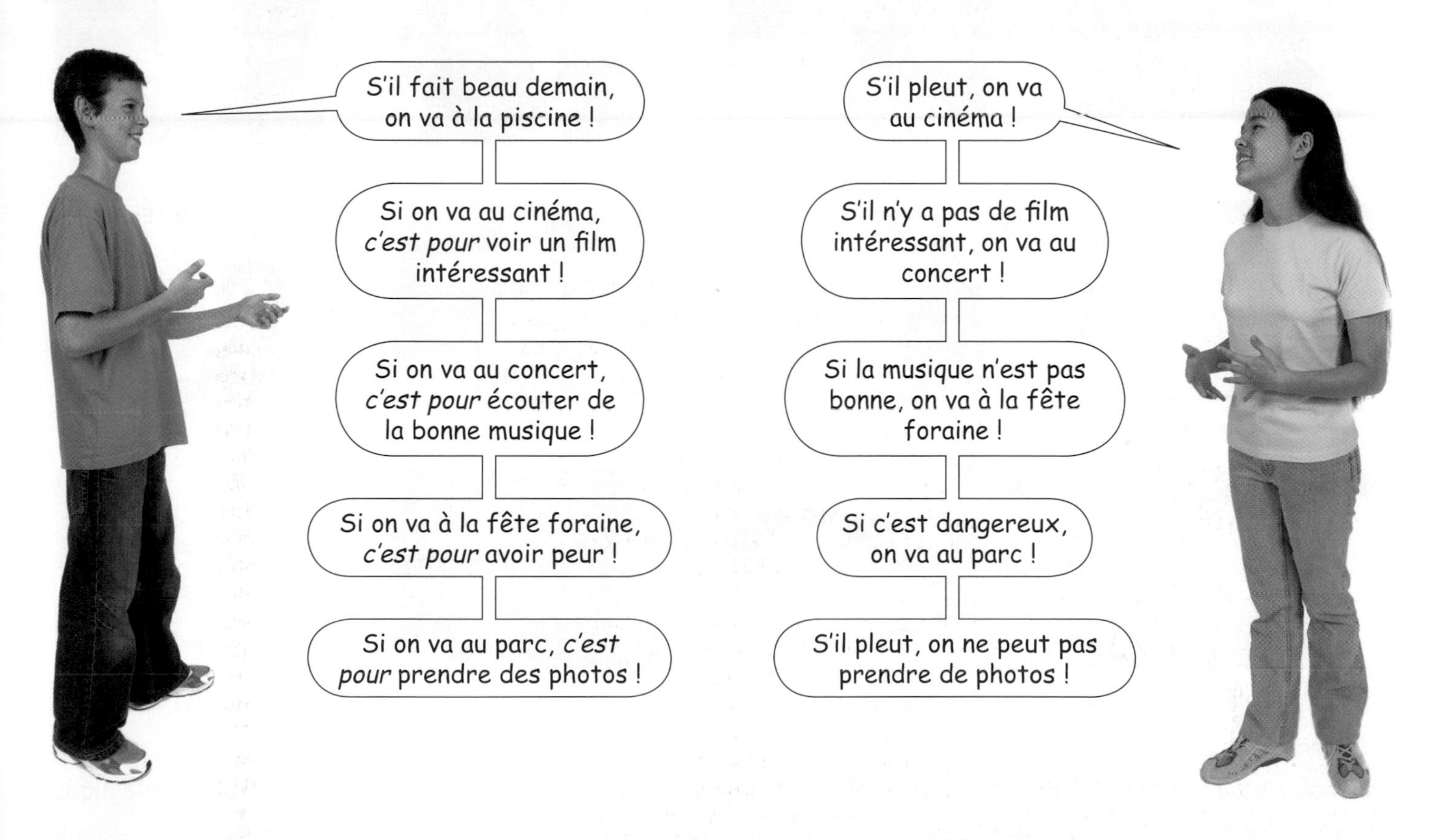

Sur ce modèle, propose (A) une sortie à ton voisin ou à ta voisine (B) ! Utilise *au centre commercial, au cinéma, au cirque, au concert, à la fête foraine, au magasin de sport, au musée, au parc, à la piscine, au stade, au théâtre* ou *au zoo.*

→ **A :** S'il fait beau demain, on va ... . **B :** S'il pleut, on va ... , etc. **Continuez !**

5 *Si... + présent + impératif* → Lis et associe !

Exemple : 1-b

1 Si tu veux mon avis,
2 Si tu es stressé,
3 Si tu as peur,
4 Si tu es nul en sport,
5 Si tu as faim,
6 Si tu ne veux pas arriver en retard,

a ne viens pas avec nous aux catacombes !
b je pense que c'est le film le plus génial !
c mange un sandwich !
d va te promener !
e dépêche-toi !
f entraîne-toi !

PROJET

SONDAGE EXCLUSIF !

1 Qu'est-ce que tu penses des scènes ? Associe et explique ! Compare avec ton voisin ou ta voisine !
Exemple : 1-c

1

L'arrivée de Jean Valjean à Digne

2

Les chandeliers

3

La mort de Fantine

4

Cosette

5

Cosette et « son père »

6

Au jardin du Luxembourg

7

Le guet-apens

8

Cosette et Marius

9

La maison de Gavroche

10

La mort de Gavroche

11

Dans les égouts

12

Marius est sauvé.

Je pense que c'est la scène...

a la plus bizarre. **b** la plus dangereuse. **c** la plus désespérée. **d** la plus effrayante. **e** la plus fantastique.
f la plus fascinante. **g** la plus heureuse. **h** la plus horrible. **i** la plus idiote. **j** la plus intéressante.
k la plus merveilleuse. **l** la plus romantique. **m** la plus triste. **n** la plus violente. **o** la plus ...

Tu peux choisir d'autres scènes (qui n'apparaissent pas ici) et donner ton avis !

2 Maintenant, vote pour tes personnages préférés !

Quel est le personnage...
le plus sympathique ?
le plus romantique ?
le plus horrible ?
le plus gentil ?
le plus courageux ?

A

Jean Valjean

B

Enjolras

C « M. Madeleine »

D

Cosette

E

M. Myriel

F Thénardier

G

Gavroche

H

Marius

I

Javert

J

La Thénardier

Quel est le résultat du sondage pour la classe ?

1 **Lis le blog de Max ! Puis mets le texte au présent !**

Voilà ! Nous avons fini notre film sur « les Misérables ». Léa a tout organisé. Agathe a filmé avec son portable et son caméscope, enfin... le caméscope de son père. Théo a enregistré le son, la musique et les chansons. Moi, j'ai fait le scénario et j'ai dessiné les BD.

On est allés repérer les décors : l'école de Cosette, le jardin du Luxembourg, le parc de Bagatelle et même les égouts de Paris ! On a exploré des endroits bizarres et fascinants. Sur Internet, on a cherché des informations sur l'histoire de France. On a même fait des recettes : j'adore faire les gâteaux !

On a bien travaillé ensemble. Théo est un vrai copain, on s'entend bien. Agathe est sympathique et très gentille. Léa est un peu nerveuse, mais elle a beaucoup de caractère et beaucoup d'idées ! On s'est souvent fâchés, on s'est réconciliés, on s'est toujours aidés. On s'est amusés, on a ri mais on a aussi pleuré. C'était super !
Et toi, tu as aimé notre travail ? Oui ? Alors, je te souhaite bonne chance et peut-être à bientôt ?

2 **Vrai ou faux ? Si c'est faux, corrige !**

1 Léa a fait le scénario du film sur « les Misérables » et Max a tout organisé.
2 Agathe a pris des photos avec son portable.
3 Théo a enregistré la musique et les chansons.
4 Les amis sont allés dans des endroits bizarres et fascinants pour repérer les décors.
5 Ils ont cherché des recettes sur Internet.
6 Max trouve Agathe et Théo un peu nerveux : ils se sont souvent fâchés.

3 **Le e non prononcé : e̸ → Écoute et chante !**

On s'est souvent fâchés,
On s'est réconciliés
Pour le réaliser :
Le rêve̸ de l'amitié,
Le rêve̸ le plus beau !
Salut à tous et à bientôt !

On a souvent pleuré,
On a ri et chanté
Pour le réaliser :
Le rêve̸ de l'amitié,
Le rêve̸ le plus beau !
Au re̸voir à tous et à bientôt !

On a bien travaillé,
On s'est toujours aidés
Pour le réaliser :
Le rêve̸ de l'amitié,
Le rêve̸ le plus beau !
Bonne̸ chance̸ à tous et à bientôt ! (3x)

Les Misérables

Écoute et regarde la BD de Max ! Puis cite le nom de tous les invités au mariage !

C'était ton père !
Il est allé à la barricade pour me sauver. Il m'a porté sur son dos, dans cet égout effrayant... C'est lui qui m'a sauvé la vie !
Père, tu es un héros !
Cosette, je ne suis pas ton père... Ta mère s'appelait Fantine. Elle est arrivée un jour, très malade dans notre infirmerie.
Avant de mourir, elle m'a fait promettre d'aller te chercher à Montfermeil. Je t'ai ramenée et tu as grandi à mes côtés !
Mais, où est passé ce bandit de Thénardier ?
Il allait s'enfuir...
La fête n'est pas finie !
On a invité d'autres amis et même Victor Hugo !
Bonne chance à tous et... à bientôt !

Consignes de classe

Associe et explique ! *Retrouve les scènes !* *Vote pour tes personnages préférés !*

Communication

Tu sais maintenant…

■ **exprimer ton point de vue :**
Je pense que non.
Je crois que tu as tort.
Si vous voulez mon avis…

■ **exprimer une hypothèse :**
S'il fait beau demain, on va à la piscine.
Si je suis là, c'est pour vous vendre un secret.

■ **exprimer un désaccord total :**
Non, pas du tout !

■ **annoncer la fin de quelque chose :**
Ça y est ! (C'est fini.)

■ **adresser un souhait et prendre congé :**
Bonne chance !
À bientôt !

Vocabulaire

Noms

l'assassin (m.)
l'avis *(m.)*
le bandit (U 6)
le cadavre
le complice
le décor
la mort
le personnage (U 3)
la scène
le scénario
le secret (U 5)
le voleur (U 3)

Verbes

s'aider
s'amuser
assassiner
croire
s'enfuir
enlever (U 6)
enregistrer
s'entendre
explorer (U 7)
se fâcher
filmer (U 10)
inviter
jeter
mentir
organiser
penser (U 7)
pleurer
ramener (U 3)
réaliser
se réconcilier
repérer
souhaiter
tuer (U 10)
vendre

Adjectif, adverbe, conjonctions et préposition

à cause de
là
pas du tout (U 10)
peut-être
que
romantique
seul(e)
si

Certains mots n'ont pas été l'objet d'un entraînement systématique et n'apparaissent pas ici. Ils sont toutefois indiqués en italique quand ils seront ou pourront être réutilisés plus tard.

Grammaire

L'imparfait (sensibilisation)

C'était super !
Le jeune homme, **c'était** moi !
Ta mère **s'appelait** Fantine !

La conjonction *que*

Je crois **que** oui.
Je pense **que** tu as tort.

La conjonction *si* + présent

Elle exprime une hypothèse.
S'il fait beau demain, on va à la piscine.
Si tu es malade, reste au lit !
Tu peux venir, **si** tu veux.

Le degré de l'adjectif : le superlatif (première introduction)

C'est la scène **la plus** romantique.
C'est le personnage **le plus** sympathique.

Phonétique

Le *e* prononcé ou non prononcé

Stratégies

Pour mieux apprendre...

■ Fais le point sur tes connaissances et sur tes compétences : Tu fais encore des erreurs ? N'aie pas peur de te tromper : il est naturel de faire des erreurs. Celles-ci peuvent t'être utiles, si tu comprends pourquoi tu les as faites et si tu les utilises pour améliorer ton apprentissage.
Bonne chance !

Culture et civilisation

Des photos de séries TV des « Misérables »

Marius

Gavroche

Javert

Enjolras

Compare avec les personnages de la BD ! Décris les ressemblances et les différences !

On révise et on s'entraîne pour le DELF A2 !

Document à photocopier !

Nom : .... **Prénom :** ....

Compréhension de l'oral (10 points)

1 Écoute et coche les bonnes réponses ! Lis d'abord les phrases ! Tu as deux écoutes !

- ☐ La famille Fournier a réservé sur Internet une maison à la campagne.
- ☐ Mais la maison était près de la gare : il y avait beaucoup de bruit.
- ☐ La salle de séjour était froide et sombre.
- ☐ La salle de bains était dégoûtante.
- ☐ Dans la cuisine, il y avait un rat mort.
- ☐ Dans le jardin, il y avait beaucoup d'araignées.
- ☐ Pendant la nuit, ils ont entendu des bruits bizarres.
- ☐ Des vacances de rêve ? Non, un vrai cauchemar !

2 Écoute et numérote les situations ! Regarde d'abord les images ! Tu as deux écoutes !

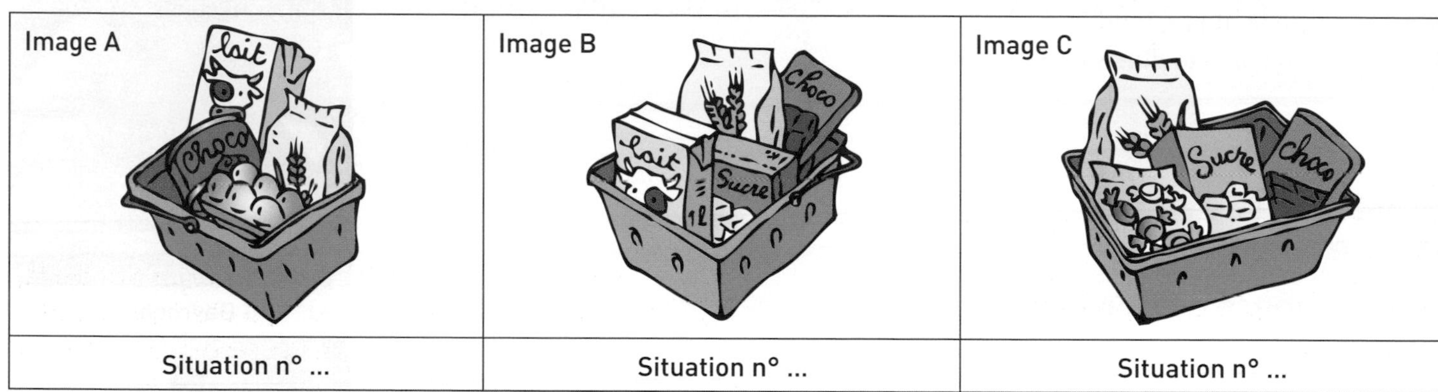

Image A	Image B	Image C
Situation n° ...	Situation n° ...	Situation n° ...

Compréhension des écrits (10 points)

1 Lis l'agenda de Sofiane ! Puis associe les jours aux portraits !

Samedi : Avec mon copain Enzo, on est allés s'entraîner à la piscine. Je suis rentré super fatigué.

Dimanche : C'était l'anniversaire d'Enzo. Il nous a tous invités chez lui. Il y avait du champagne : j'adore !

Lundi : Je ne suis pas allé au collège : je suis resté au lit avec un mal de tête horrible. J'ai bu trop de champagne !

Mardi : J'ai fait une sortie scolaire avec ma classe. Nous avons visité les catacombes : c'était effrayant !

Mercredi : Le soir, on est allés à la fête foraine avec Enzo et sa sœur Lola : je lui a laissé mon numéro de portable...

Jeudi : Lola n'appelle pas. Elle a perdu mon numéro ? Je suis désespéré !

2 **Lis les textes ! Puis coche les bonnes cases !**

Hier, je suis allé avec mon père et ma mère chercher mon frère à la gare. Il était en vacances à Marseille chez notre grand-mère. Elle lui a offert de nouveaux DVD. Alors, toute l'après-midi, on a regardé des films : une histoire de robots extraterrestres, un film policier et le dernier film avec Ziggy Starpop. Le soir, papa nous a invités dans un très bon restaurant ! Une super journée !

Mathis

Hier, je suis allée à l'aéroport avec ma copine : on est allées voir le chanteur de rock Ziggy Starpop de retour du Canada. Nous avons eu un autographe ! Après, on est rentrées à la maison. On a travaillé avec mon père dans le garage. Il aime bricoler et nous aussi : on a réparé la voiture ! Le soir, on a fait la cuisine. Papa nous a fait un gâteau au chocolat. Une super journée !

Emma

- ☐ Le frère de Mathis habite au Canada.
- ☐ Sa grand-mère lui a fait un cadeau.
- ☐ Le père de Mathis lui a fait un gâteau.
- ☐ Mathis bricole et répare des robots.
- ☐ Emma et sa copine sont allées voir le dernier film de Ziggy Starpop.
- ☐ Après, elles sont allées à la gare.
- ☐ Le soir, Emma et sa copine ont préparé à manger.
- ☐ Mais le père d'Emma les a invitées au restaurant.

Production écrite (10 points)

Imagine que tu as visité un endroit bizarre, effrayant ou fascinant (maison hantée, parc, jardin, forêt, cimetière, vieux théâtre, musée, égouts, etc.). Décris comment tu y es arrivé(e), ce qui s'est passé, etc. Utilise au passé composé des verbes comme *aller, arriver, monter, descendre, entrer, rester, passer, sortir, partir, tomber* et les verbes *être* et *avoir* à l'imparfait *(il y avait…, c'était…)*. **(70 mots environ)**

Production et interaction orales (10 points)

Tu es sorti(e) hier avec un copain ou une copine : raconte !

À quelle heure vous êtes parti(e)s ?
Vous avez pris le bus, le métro ? Vous êtes allé(e)s à pied ?
Vous êtes allé(e)s où ? Au cinéma ? Au théâtre ? Au concert ? Au stade ? Vous êtes allé(e)s faire du shopping ? Vous promener ?
Le film (le spectacle, le concert, le match, la promenade) vous a plu ?
Vous avez mangé ou bu quelque chose ?
Vous avez retrouvé d'autres copains ou d'autres copines ?
Etc.

Communication

■ **Saluer, remercier :**

Bonjour ! Bonsoir ! Entre ! Entrez !
Tu es (vous êtes) le (la) bienvenue !
Merci ! – De rien !

■ **Prendre congé, s'excuser :**

Au revoir ! À bientôt !
À demain ! À lundi ! À plus tard !
Désolé(e) !

■ **Dire où on habite :**

Tu habites (Vous habitez) où ?
J'habite à Montevideo. J'habite en Uruguay.

■ **Dire d'où on vient (ville et pays) :**

Tu viens (Vous venez) d'où ?
Je viens de Toulon. Je viens du Canada.

■ **Exprimer une obligation, une nécessité :**

Je dois travailler.
Pour apprendre, il faut bien écouter.
Il faut appeler la police.
J'ai besoin de parler.

■ **Exprimer une possibilité, une capacité :**

Vous pouvez dormir ici. Je peux payer.

■ **Exprimer une demande, un conseil :**

Va-t'en ! Reviens ! Dépêche-toi !
Prends ton argent !
Fais attention ! Attention !
Je voudrais des gants !
Tu pourrais économiser un peu plus !
Je devrais aller à la pharmacie.

■ **Demander de l'aide :**

Au secours ! Aidez-moi ! Au voleur !

■ **Exprimer une envie, un intérêt :**

Tu as envie de quoi ?
J'ai envie d'aller au cinéma.
Ça m'intéresse. Je trouve ça intéressant.

■ **Exprimer une absence d'envie ou d'intérêt :**

Je n'ai pas envie.
Ça ne m'intéresse pas. Je ne trouve pas ça intéressant.

■ **Demander et dire le prix de quelque chose :**

Combien ça coûte ? Les gants coûtent combien ?
Les gants coûtent 24 euros.

■ **Exprimer la possession :**

C'est à moi. Ils sont à vous.

■ **Adresser un souhait :**

Bonne nuit !
Bonne chance !
Bon appétit !

■ **Se décrire et décrire quelqu'un :**

Je suis sympathique et généreux.
Je suis assez nerveuse ; je voudrais être plus calme.
Il est très gentil, mais il dort trop.

■ **Structurer son propos :**

D'abord, il y a Jean Valjean.
Ensuite, il y a Cosette.
Et puis il y a Madame Thénardier.
Il y a aussi Monsieur Thénardier.

■ **Parler d'une action dans un futur proche :**

Qui va jouer les personnages ?
Je vais faire plus de sport.

■ **Exprimer son étonnement, sa joie :**

Comme elle est triste et malheureuse !
Comme la poupée est belle !
Quels beaux yeux ! Quel joli sourire !
Tiens, tiens !
C'est pas possible ! Alors là !
Comme c'est joli !

■ **Décrire une action en cours :**

Je suis en train de lire un livre.

■ **Exprimer la cause :**

Pourquoi tu m'appelles ? – Parce que je veux te parler.
Les élèves sont agressifs parce qu'ils jouent trop à des jeux vidéo violents.

■ **Exprimer son accord :**

Je suis d'accord !
Ça te plaît ? Ça me plaît. Moi aussi.
Ça ne te plaît pas ? Moi, non plus.
Je suis pour ! Tu as raison.
C'est promis !

■ **Exprimer son désaccord :**

Je ne suis pas d'accord !
Ça ne te plaît pas ? Moi si ! Pas moi !
Ça ne me plaît pas.
Je suis contre !
Je pense que non.
Tu as tort. Je crois que tu as tort.
Arrête ! Arrêtez ! Du calme !
Tu exagères ! Tu m'énerves ! C'est malin !
Non, pas du tout !

■ **Identifier quelque chose ou quelqu'un :**

Tu regardes quel écureuil ? Je regarde cet écureuil roux.
Qu'est-ce que c'est que ce livre ? C'est un livre de français.

■ **Exprimer une quantité :**

Un paquet de riz. Un sachet de bonbons.
150 g de farine.

■ **Exprimer son angoisse :**

C'est un vrai cauchemar !

■ **Rassurer :**

N'aie pas peur ! Tout va bien maintenant !

■ **Comparer :**

Il est comme toi. Ils sont comme nous !
Je l'aime comme un père.

■ **Classer :**

La première rencontre. Mon deuxième choix.

■ **Interagir au téléphone :**

Allô (oui) ! Est-ce que je peux parler à L. ?
Je pourrais parler à L., s'il (te) vous plaît ?
Je voudrais parler à L., s'il (te) vous plaît !
J'aimerais parler à L., s'il (te) vous plaît !
Est-ce que L. est là ?
C'est de la part de qui ? C'est de la part de H.
Un instant, s'il (te) vous plaît. Ne quitte(z) pas.
Merci (beaucoup), au revoir !

■ **Accuser et rejeter une accusation :**

C'est ta faute !
Non, ce n'est pas ma faute !
Je n'ai rien fait !

■ **Exprimer sa déception :**

Zut ! Quel dommage !

■ **Exprimer un moment du passé :**

J'ai pris une lampe torche. J'ai visité les catacombes.
Je suis entrée chez le fleuriste.
Hier, c'était dimanche.
J'ai découvert Paris il y a deux ans.

■ **Exprimer la durée :**

J'habite à Paris depuis cinq ans.

■ **Exprimer une hypothèse :**

S'il fait beau demain, on va à la piscine.
Si je suis là, c'est pour vous vendre un secret.

■ **Annoncer la fin de quelque chose :**

Ça y est ! (C'est fini.)

Phonétique

■ Le rythme et l'accentuation

En français, la parole est découpée en « groupes rythmiques » séparés par une syllabe accentuée et une pause : *J'aime 'bien / le gâteau au choco 'lat.//*

Plus on parle vite, moins on fait de pauses : *J'aime bien le gâteau au choco 'lat.//*

La syllabe accentuée, précédée du signe ['], est la dernière du groupe rythmique. Elle porte un accent de durée et est donc plus longue.

Les autres syllabes sont inaccentuées, régulières et continues : *Je préfère la crème cara 'mel.//*

■ Le « e muet »

On ne prononce pas le « e » final des mots : *C'est mon père. Il s'appelle Antoine.*

On ne prononce pas les terminaisons des verbes ***-e***, ***-es***, ***-ent*** : *Je joue, tu chantes, ils dansent.*

Mais on prononce le « e » dans les mots à une syllabe : ***je***, ***le***, ***me***. Il se note [ə].

[ə] note également, dans les mots à plusieurs syllabes, le « e » inaccentué (*demain*) ou caduque (*petit*).

En général on ne prononce pas les consonnes finales : *Le monstre a deux bras et trois nez.*

Mais on prononce le « l » et le « r » et le « c », par exemple dans : *C'est un acteu**r** espagno**l** ou gre**c** ?*

On prononce la consonne finale dans les mots ***cinq***, ***six***, ***sept***, ***huit***, ***neuf***, ***dix***, mais pas si ***six***, ***huit*** et ***dix*** sont devant un mot commençant par une consonne ! (***Cinq*** se prononce parfois devant consonne.)

■ La liaison

Quand un mot commence par une voyelle ***a***, ***e***, ***i***, ***o***, ***u***, ***y*** ou un ***h*** muet, on unit la consonne finale du mot précédent (déterminant, adjectif, préposition, pronom personnel, verbe, etc.) à la voyelle ou au ***h***.

Exemples avec les cinq consonnes de liaison **[z, t, n, ʀ, p]** :

[z] graphie « s » : *Un gros‿oiseau.*
graphie « x » : *Deux‿amis.*
graphie « z » : *Allez-y !*
[t] graphie « t » : *J'ai tout‿oublié.*
graphie « d » : *Un grand‿appartement.*
[n] graphie « n » : *Bon‿appétit.*
[ʀ] graphie « r » : *Un premier‿amour.*
[p] graphie « p » : *Tu es trop‿idiot.*

Il n'y a pas de liaison après le mot *et* : *Et / il est parti.*

■ Les sons

Bien distinguer la prononciation des **consonnes** :
[b] (*bien*) et **[v]** (*viens*)
[b] (*bon*) et **[p]** (*pont*)
[s] (*poisson*) et **[z]** (*poison*)
[ʀ] (*rêve*) et **[l]** (*lève*)
[ʃ] (*chaud*) et **[ʒ]** (*jaune*)
[f] (*froid*) et **[v]** (*voilà*)...

Bien distinguer la prononciation des **voyelles** et des **semi-voyelles** :
[ɔ] (*bol*), **[œ]** (*beurre*) et **[ø]** (*bleu*)
[ɑ̃] (*banc*), **[ɔ̃]** (*bon*), **[œ̃]** (*un*) et **[ɛ̃]** (*bain*)
[œ] (*sœur*), **[y]** (*sûr*) et **[i]** (*sire*)
[y] (*dessus*) et **[u]** (*dessous*)
[ə] (*marche*), **[ɛ]** (*marchait*) et **[e]** (*marché*)
[j] (*fille*), **[w]** (*oui*) et **[ɥ]** (*lui*), etc.

L'écriture des sons

Voyelles et semi-voyelles		
[a]	**a** → *ami*	**à** → *déjà*
[ɑ]	**a** → *pas*	**â** → *théâtre*
[e]	**é** → *méchant* **e** + consonne finale muette → *pied, les*	
[ɛ]	**ai** → *je sais* **ay** → *je paye* **è** → *mère* **ê** → *fête* **e** + consonne finale prononcée → *mer*	**ë** → *Noël* **ei** → *treize* **et** → *bonnet*
[i]	**i** → *petit* **y** → *pays*	**î** → *île*
[ɔ]	**o** → *fort*	**um** → *album*
[o]	**au** → *animaux* **eau** → *bateau*	**o** → *vélo* **ô** → *fantôme*
[u]	**ou** → *sous* **oû** → *goûter*	**où** → *où*
[y]	**u** → *plus* **eu** → *j'ai eu* (participe passé de *avoir*)	**û** → *sûr*
[ø]	**eu** → jeu	
[œ]	**eu** + consonne finale prononcée → *leur* **œ** → *œil*	**œu** → *sœur*
[ə]	**e** → *je*	
[ɑ̃]	**an** → *grand* **en** → *dent*	**am** → *jambe* **em** → *temps*
[ɛ̃]	**in** → *lapin* **ain** → *main* **ein** → *peintre* **ym** → *symbole*	**im** → *timbre* **aim** → *faim* **en** → *chien*
[œ̃]	**un** → *lundi*	**um** → *parfum*
[ɔ̃]	**on** → *poisson*	**om** → *combien*
[j]	**i** → *idiot* **ill** → *habille* **hi** → *cahier*	**y** → *essayer* **il** → *soleil*
[w]	**ou** → *oui* **oy** → *moyen*	**oi** → *moi* **oin** → *moins*
[ɥ]	**u** → *nuit, duel*	

Consonnes		
[p]	**p** → *peur*	**pp** → *appareil*
[t]	**t** → *tortue* **th** → *théâtre*	**tt** → *assiette*
[k]	**c** devant *a*, *o* ou *u* → *collège* **c** devant consonne → *crêpe* **ch** → *techno* **qu** → *musique* **ck** → *racket*	 **q** → *cinq* **k** → *kilo* **cc** → *occasion*
[b]	**b** → *bon*	
[d]	**d** → *dessin*	**dd** → *addition*
[g]	**g** devant *a*, *o* ou *u* → *garage* **g** devant consonne → *gris* **gh** → *spaghetti*	
[f]	**f** → *fleur* **ph** → *pharmacie*	**ff** → *effrayant*
[s]	**s** → *salut, penser* **c** devant *e* ou *i* → *cinéma* **ç** → *leçon* **sc** → *piscine*	**ss** → *ruisseau* **ti** → *promotion* **x** → *six, dix*
[ʃ]	**ch** → *chat* **sch** → *schéma*	**sh** → *tee-shirt*
[v]	**v** → *ville*	**w** → *wagon*
[z]	**s** entre deux voyelles → *rose* **z** → *onze, zoo* **s** et **x** de liaison → *les‿amis, deux‿enfants*	 **x** → *sixième*
[ʒ]	**j** → *jardin* **g** devant *e*, *i* ou *y* → *gymnase* **ge** devant *a*, *o* ou *u* → *nous mangeons*	
[l]	**l** → *lac*	**ll** → *mille*
[ʀ]	**r** → *robe*	**rr** → *horrible*
[m]	**m** → *matin*	**mm** → *comme*
[n]	**n** → *nature* **mn** → *automne*	**nn** → *donner*
[ɲ] [nj] [ŋ]	**gn** → *montagne* **ni** → *panier* **ng** → *ping-pong*	

L'étude des sons et de leur écriture sera complétée et approfondie dans les niveaux suivants.

Le groupe nominal

1 Les adjectifs qualificatifs

Accord

■ L'adjectif s'accorde avec le nom ou le pronom auquel il se rapporte.

On ajoute ***e*** au féminin et ***s*** au pluriel (féminin pluriel ***es***) : *Elle est méchant**e**. Ils sont timide**s**. Elles sont têtu**es**.*

■ Au féminin, avec certains adjectifs, on double la consonne finale : *Elle est gro**ss**e. Tu es genti**ll**e.*

Le féminin des adjectifs en ***-eux*** est ***-euse*** : *Il est génér**eux**. Elle est génér**euse**.*

■ Les adjectifs se terminant par un *–e* ne changent pas au féminin et ceux terminés par *–s* ou *–x* ne changent pas au masculin pluriel.

*Il est calm**e**, elle est calm**e** ; il est courageu**x**, ils sont courageu**x** ; il est gro**s**, ils sont gro**s**.*

Place

L'adjectif qualificatif est après le nom : *C'est une femme courageuse.*

Certains adjectifs comme *grand, gros, petit, bon, mauvais, beau, joli, nouveau, vieux, jeune* sont avant le nom : *C'est un petit homme hypocrite.*

Les adjectifs *beau, bon, nouveau*

	beau	***bon***	***nouveau***
masculin singulier	*beau, bel**	*bon*	*nouveau, nouvel**
masculin pluriel	*beaux*	*bons*	*nouveaux*
féminin singulier	*belle*	*bonne*	*nouvelle*
féminin pluriel	*belles*	*bonnes*	*nouvelles*

*devant un nom masculin commençant par ***a***, ***e***, ***i***, ***o***, ***u*** ou un ***h*** muet.

Un beau sourire. Un bel homme. Une belle femme.

Un bon élève. Une bonne note. Des bons élèves.

Tu fais un nouvel achat ? J'achète une nouvelle montre.

2 Les adjectifs numéraux ordinaux

Ils sont construits à partir du nombre et d'un suffixe ***–ième***.

Exception : *premier, première.*

un : (le, un) ***premier***, *(la, une)* ***première***

deux : (le, la, un, une) deux***ième***

trois : (le, la, un, une) trois***ième***

quatre : (le, la, un, une) ***quatrième***

cinq : (le, la, un, une) ***cinquième***

six : (le, la, un, une) six***ième***

sept : (le, la, un, une) sept***ième***

huit : (le, la, un, une) huit***ième***

neuf : (le, la, un, une) ***neuvième***

dix : (le, la, un, une) dix***ième***

3 Les adjectifs démonstratifs

	masculin	féminin
singulier	***ce*** *parc* ***cet**** *arbre*	***cette*** *fleur*
pluriel	***ces*** *arbres*	***ces*** *fleurs*

*devant un nom masculin commençant par ***a***, ***e***, ***i***, ***o***, ***u*** ou un ***h*** muet.

4 Les adjectifs indéfinis

	masculin	féminin
singulier	***tout le*** *gâteau*	***toute la*** *classe*
pluriel	***tous les*** *garçons*	***toutes les*** *filles*

Il peut être combiné à des adjectifs possessifs ou démonstratifs :
Tous vos *amis vont venir.*
Regarde ***toutes ces*** *pâtisseries !*

Le groupe verbal

1 Les pronoms personnels COD

	1re personne	2e personne
singulier	***me (ou m'*)***	***nous***
pluriel	***te (ou t'*)***	***vous***

*devant une voyelle ***a***, ***e***, ***i***, ***o***, ***u***, ***y*** ou un ***h*** muet :
Tu ***m'****entends ? - Oui, je* ***t'****entends !*
Tu ***me*** *comprends ? Oui, je* ***te*** *comprends.*
Tu ***nous*** *attends ? Oui, je* ***vous*** *attends.*

3e personne	masculin	féminin
singulier	***le (ou l'*)***	***la (ou l'*)***
pluriel	***les***	

*devant une voyelle ***a***, ***e***, ***i***, ***o***, ***u***, ***y*** ou un ***h*** muet.
Je dépense l'argent. → Je ***le*** *dépense.*
J'achète la robe. → Je ***l'****achète.*
Je prends les gants. → Je ***les*** *prends.*

La place du pronom personnel COD
Il est juste avant le verbe : *Je* ***la*** *prends. Je ne* ***la*** *prends pas.*
Il est juste avant l'infinitif : *Je peux* ***l'****essayer ? Je ne veux pas* ***l'****essayer !*
À l'impératif : *Attends-****nous*** *! Non, ne* ***nous*** *attends* ***pas*** *! Prenez-****les*** *! Non, ne* ***les*** *prenez pas !*

2 Le présent

Les verbes du premier groupe (-*er*)

Singulier			**Pluriel**		
1re personne	*je*	*dans* ***-e***	1re personne	*nous*	*dans* ***-ons***
2e personne	*tu*	*dans* ***-es***	2e personne	*vous*	*dans* ***-ez***
3e personne	*il / elle / on*	*dans* ***-e***	3e personne	*ils / elles*	*dans* ***-ent***

Les verbes du deuxième groupe (-*ir*)

Singulier			**Pluriel**		
1re personne	*je*	*fin* ***-is***	1re personne	*nous*	*fin* ***-issons***
2e personne	*tu*	*fin* ***-is***	2e personne	*vous*	*fin* ***-issez***
3e personne	*il / elle / on*	*fin* ***-it***	3e personne	*ils / elles*	*fin* ***-issent***

Les verbes du troisième groupe

■ Pour quelques verbes (*offrir*, *ouvrir*, etc.) la conjugaison est la même que celle des verbes du premier groupe : *j'ouvr**e**, tu ouvr**es**, il/ elle / on ouvr**e***, etc.

■ Pour trois verbes (*pouvoir, valoir, vouloir*) **s** devient **x** : *je peu**x**, tu peu**x***.

■ Pour certains verbes en *–dre*, pas de **t** à la 3e personne du singulier : *il / elle / on pren**d***.

Exceptions :

Le verbe ***aller*** : *il / elle / on va, ils / elles vont.*

Le verbe ***faire*** : *vous faites, ils / elles font.*

Le verbe ***dire*** : *vous dites.*

On retrouve toujours (sauf pour les trois exceptions + *être* et *avoir*) :

Singulier	1er groupe	2e et 3e groupes	3e groupe : particularités	**Pluriel**	1er groupe	2e et 3e groupes
je	**-e**	**-s**	**-e** **-x**	*nous*	**-ons**	**-ons**
tu	**-s**	**-s**	**-x**	*vous*	**-ez**	**-ez**
il / elle / on	**-e**	**-t**	**-d**	*ils / elles*	**-ent**	**-ent**

3 Le présent continu (ou progressif)

***être en train de* + infinitif**

Il décrit une action en cours : *Qu'est-ce que tu es en train de faire ? Je suis en train de lire.*

4 Le futur proche

***aller* au présent + infinitif**

Il décrit une action qui va se dérouler dans un avenir proche.

Je suis trop peureux : je vais être fort et courageux !

5 Le passé composé

Il exprime des actions passées.

Le passé composé avec *avoir*

avoir au présent + participe passé sans accord avec le sujet

Singulier				**Pluriel**			
1re personne	*j'*	*ai*	***trouvé***	1re personne	*nous*	*avons*	***trouvé***
2e personne	*tu*	*as*	***trouvé***	2e personne	*vous*	*avez*	***trouvé***
3e personne	*il / elle / on*	*a*	***trouvé***	3e personne	*ils / elles*	*ont*	***trouvé***

Ma sœur a trouvé des informations au CDI. Mes amis ont trouvé des informations sur Internet.

Le passé composé avec *être*

être au présent + participe passé accordé avec le sujet

Il est utilisé avec les verbes pronominaux et les verbes *aller*, *venir*, *arriver*, *partir*, *monter*, *descendre*, *entrer*, *sortir*, *rester*, *passer*, *retourner*, *tomber* (ainsi que *naître* et *mourir*).

Singulier				**Pluriel**			
1re personne	*je*	*suis*	***arrivé(e)***	1re personne	*nous*	*sommes*	***arrivé(e)s***
2e personne	*tu*	*es*	***arrivé(e)***	2e personne	*vous*	*êtes*	***arrivé(e)s***
3e personne	*il / elle / on*	*est*	***arrivé(e)***	3e personne	*ils / elles*	*sont*	***arrivé(e)s***

Cosette s'est préparée. Marius est arrivé en retard. Ils se sont mariés à Paris.

Le participe passé

■ **Verbes en *-oir* et en *-re* → *-u***

avoir → ***eu***, devoir → ***dû***, pouvoir → ***pu***, savoir → ***su***, voir → ***vu***, vouloir → ***voulu***

lire → ***lu***, plaire → ***plu***

attendre → ***attendu***, entendre → ***entendu***, perdre → ***perdu***

■ **Attention !** apprendre → ***appris***, comprendre → ***compris***, prendre → ***pris***

■ **Verbes en *-ir* (1) = *-i***

dormir → ***dormi***, finir → ***fini***, réussir → ***réussi***, sentir → ***senti***

■ **Verbes en *-ir* (2) = *-ert***

découvrir → ***découvert***, offrir → ***offert***, ouvrir → ***ouvert***

6 Le conditionnel présent au singulier

		aimer	**devoir**	**pouvoir**	**vouloir**
1re personne :	*j' (je)*	*aime**rais***	*dev**rais***	*pour**rais***	*voud**rais***
2e personne :	*tu*	*aime**rais***	*dev**rais***	*pour**rais***	*voud**rais***
3e personne :	*il / elle / on*	*aime**rait***	*dev**rait***	*pour**rait***	*voud**rait***

Il exprime

- une suggestion : *Tu n'aimerais pas faire un cadeau ?*
- une résolution à prendre : *Je devrais aller au supermarché.*
- une demande polie : *On pourrait acheter un nouveau baladeur ?*
- un souhait : *On voudrait faire des photos.*

7 Les verbes suivis d'un infinitif

Sans préposition

Des verbes comme ***adorer***, ***aimer***, ***détester***, ***préférer***, ***vouloir***, ***devoir***, ***pouvoir***, ***savoir*** peuvent être suivis d'un infinitif complément : *Tu veux regarder la télé ? - Désolée, je dois travailler !*

Avec la préposition *de*

Des locutions verbales comme ***avoir envie***, ***avoir besoin***, ***avoir peur***, ***avoir raison***, ***avoir tort***, ***avoir le temps***, ***avoir l'air***, etc. peuvent être suivies d'un infinitif complément, introduit par **de** : *Tu as besoin de t'entraîner. J'ai peur d'aller à la fête foraine. Ils ont l'air de vouloir partir.*

La phrase

1 La négation

Affirmation ou question	Négation
quelque chose	**ne ... rien**
Tu sais quelque chose ?	*Non, je ne sais rien.*
encore	**ne ... plus**
Tu as encore ton portable ?	*Non, je n'ai plus mon portable*
toujours	**ne ... jamais**
Tu es toujours en retard !	*Non, je ne suis jamais en retard.*
quelqu'un	**personne**
Tu as vu quelqu'un ?	*Non, je n'ai vu personne.*
Quelqu'un a appelé ?	*Personne n'a appelé.*
déjà	**ne ... pas encore**
Tu as déjà fini ?	*Non, je n'ai pas encore fini.*

2 L'interrogation

L'adjectif interrogatif *quel*

	masculin	féminin
singulier	***Quel** arbre ?*	***Quelle** fleur ?*
pluriel	***Quels** arbres ?*	***Quelles** fleurs ?*

Les questions avec *est-ce que* et les phrases clivées

*Qu'est-ce qu'**il** fait, **Lucas** ?*
*Quand est-ce qu'**elle** est arrivée, **Pauline** ?*

3 L'exclamation

L'adjectif exclamatif *quel*

	masculin	féminin
singulier	***Quel** joli sourire !*	***Quelle** jolie poupée !*
pluriel	***Quels** beaux yeux !*	***Quelles** belles fleurs !*

L'adverbe exclamatif *comme*

comme + verbe + adjectif
Comme c'est joli ! Comme je suis malheureuse !

La localisation

1 Dans l'espace

Les prépositions *en*, *au*, *aux* expriment la localisation (quand on habite ou quand on va dans un pays) :

- ***en*** + nom de pays féminin / ou nom de pays masculin commençant par une voyelle : *J'habite **en** Suisse. Elle va **en** Iran.*
- ***au*** + nom de pays masculin : *Nous vivons **au** Brésil. Tu pars **au** Mali.*
- ***aux*** + nom de pays pluriel : *Ils sont **aux** États-Unis. Vous allez **aux** Philippines.*

Les noms de pays en **–e** sont féminins, sauf ***le*** *Cambodge*, ***le*** *Mexique*, ***le*** *Mozambique*, ***le*** *Zimbabwe*.

Rappel → à + nom de ville ou d'île : *J'habite* **à** *Paris. Je vais* **à** *Montevideo. Je suis* **à** *Cuba.*

Les prépositions *du, de, d', des* exprimant la provenance, l'origine (quand on vient d'un pays) :
- ***du*** + nom de pays masculin : *Tu viens* **du** *Royaume-Uni.*
- ***de*** + nom de pays féminin : *Il vient* **de** *Suède.*
- ***d'*** + nom de pays masculin ou féminin commençant par une voyelle : *Ils viennent* **d'***Afghanistan ou* **d'***Allemagne ?*
- ***des*** + nom de pays pluriel : *Vous venez* **des** *Comores.*

2 Dans le temps

Les jours de la semaine et les moments de la journée
Aujourd'hui, on est ***mardi****.* (= Jour précis : pas d'article)
Le mardi*, on a cours de français.* (= « Tous les mardis » : article défini)
Le matin*, je me réveille à 7 heures.* (= « Tous les matins » : article défini)
Mais ***ce matin****, je me réveille à 10 heures.* (= Moment et jour précis !)

Il y a* et *depuis
Il y a est utilisé dans une phrase au passé composé et indique le moment où l'action a eu lieu :
Il a découvert Paris il y a trois ans.
Depuis est utilisé dans une phrase au présent et indique que l'action dure encore :
Il habite à Paris depuis trois ans.

Les connecteurs
D'abord*, j'ai regardé une émission de télé.*
Après*, j'ai surfé sur Internet.*
Ensuite*, j'ai cherché des informations.*
Puis *j'ai trouvé le site du musée du Louvre.*
Enfin*, j'ai préparé mon exposé.*

La quantité avec *un peu, beaucoup, très, trop, (pas) assez, plus* et *moins*

+ verbe	+ nom	+ adjectif
Je travaille un peu.	*Tu as un peu* ***d'****argent ?*	*Il est un peu timide.*
Je dors beaucoup.	*Tu as beaucoup* ***d'****argent ?*	*Il est* ***très*** *gentil.*
Je dors trop.	*Tu as trop* ***d'****argent ?*	*Il est trop timide.*
Je travaille assez.	*Tu as assez* ***d'****argent ?*	*Il est assez gentil.*
Je travaille plus [plys].	*Tu as plus* [plys] ***d'****argent ?*	*Il est plus timide.*
Je dors moins.	*Tu as moins* ***d'****argent ?*	*Il est moins gentil.*

Ils sont après le verbe et avant le nom ou l'adjectif.

La cause avec *pourquoi* et *parce que*

Pourquoi *tu es énervée ?* ***Parce que*** *tu poses trop de questions.*

La condition avec *si* + présent

S'*il fait beau demain, on va à la piscine.*
Si *tu es malade, reste au lit !*

Conjugaisons

Infinitif	Présent		Passé composé
Verbes en *-er*			
acheter	*j'achète* *tu achètes* *il / elle / on achète*	*nous achetons* *vous achetez* *ils / elles achètent*	*j'ai acheté*
commencer	*je commence* *tu commences* *il / elle / on commence*	*nous commençons* *vous commencez* *ils / elles commencent*	*j'ai commencé*
Verbes en *-ir*			
finir	*je finis* *tu finis* *il / elle / on finit*	*nous finissons* *vous finissez* *ils / elles finissent*	*j'ai fini*
Verbes en *-re*			
attendre	*j'attends* *tu attends* *il / elle / on attend*	*nous attendons* *vous attendez* *ils / elles attendent*	*j'ai attendu*
Verbes pronominaux			
se préparer	*je me prépare* *tu te prépares* *il / elle / on se prépare*	*nous nous préparons* *vous vous préparez* *ils / elles se préparent*	*je me suis préparé(e)*
Verbes irréguliers			
aller	*je vais* *tu vas* *il / elle / on va*	*nous allons* *vous allez* *ils / elles vont*	*je suis allé(e)*
avoir	*j'ai* *tu as* *il / elle / on a*	*nous avons* *vous avez* *ils / elles ont*	*j'ai eu*
être	*je suis* *tu es* *il / elle / on est*	*nous sommes* *vous êtes* *ils / elles sont*	*j'ai été*
faire	*je fais* *tu fais* *il / elle / on fait*	*nous faisons* *vous faites* *ils / elles font*	*j'ai fait*

Infinitif	Présent		Passé composé
Autres verbes irréguliers			
boire	*je bois* *tu bois* *il / elle / on boit*	*nous buvons* *vous buvez* *ils / elles boivent*	*j'ai bu*
connaître	*je connais* *tu connais* *il / elle / on connaît*	*nous connaissons* *vous connaissez* *ils / elles connaissent*	*j'ai connu*
courir	*je cours* *tu cours* *il / elle / on court*	*nous courons* *vous courez* *ils / elles courent*	*j'ai couru*
devoir	*je dois* *tu dois* *il / elle / on doit*	*nous devons* *vous devez* *ils / elles doivent*	*j'ai* ***dû***
dire	*je dis* *tu dis* *il / elle / on dit*	*nous disons* *vous dites* *ils / elles disent*	*j'ai dit*
dormir	*je dors* *tu dors* *il / elle / on dort*	*nous dormons* *vous dormez* *ils / elles dorment*	*j'ai dormi*
écrire	*j'écris* *tu écris* *il / elle / on écrit*	*nous écrivons* *vous écrivez* *ils / elles écrivent*	*j'ai écrit*
lire	*je lis* *tu lis* *il / elle / on lit*	*nous lisons* *vous lisez* *ils / elles lisent*	*j'ai lu*
mettre	*je mets* *tu mets* *il / elle / on met*	*nous mettons* *vous mettez* *ils / elles mettent*	*j'ai mis*
ouvrir	*j'ouvre* *tu ouvres* *il / elle / on ouvre*	*nous ouvrons* *vous ouvrez* *ils / elles ouvrent*	*j'ai ouvert*
partir	*je pars* *tu pars* *il / elle / on part*	*nous partons* *vous partez* *ils / elles partent*	*je suis parti(e)*

Infinitif	Présent		Passé composé
perdre	*je perds* *tu perds* *il / elle / on perd*	*nous perdons* *vous perdez* *ils / elles perdent*	*j'ai perdu*
plaire	*je plais* *tu plais* *il / elle / on plaît*	*nous plaisons* *vous plaisez* *ils / elles plaisent*	*j'ai plu*
pouvoir	*je peux* *tu peux* *il / elle / on peut*	*nous pouvons* *vous pouvez* *ils / elles peuvent*	*j'ai pu*
prendre	*je prends* *tu prends* *il / elle / on prend*	*nous prenons* *vous prenez* *ils / elles prennent*	*j'ai pris*
savoir	*je sais* *tu sais* *il / elle / on sait*	*nous savons* *vous savez* *ils / elles savent*	*j'ai su*
sortir	*je sors* *tu sors* *il / elle / on sort*	*nous sortons* *vous sortez* *ils / elles sortent*	*je suis sorti(e)*
venir	*je viens* *tu viens* *il / elle / on vient*	*nous venons* *vous venez* *ils / elles viennent*	*je suis venu(e)*
voir	*je vois* *tu vois* *il / elle / on voit*	*nous voyons* *vous voyez* *ils / elles voient*	*j'ai vu*
vouloir	*je veux* *tu veux* *il / elle / on veut*	*nous voulons* *vous voulez* *ils / elles veulent*	*j'ai voulu*

Lexique

Le numéro à gauche est le numéro de l'unité où le mot apparaît pour la première fois. Les adjectifs sont suivis de leur terminaison ou de leur forme au féminin entre parenthèses, si elle est différente du masculin. Les noms sont suivis de leur terminaison au pluriel, si elle est particulière. Les mots qui ont une seule occurrence dans les textes n'ont, en général, pas été retenus dans cette liste.

adj.	adjectif	*imp.*	impersonnel	*n. f.*	nom féminin	*pron.*	pronom
adv.	adverbe	*interj.*	interjection	*n. m.*	nom masculin	*v. intr.*	verbe intransitif
conj.	article	*interr.*	interrogatif	*pl.*	pluriel	*v. pron.*	verbe pronominal
dém.	démonstratif	*loc.*	locution	*poss.*	possessif	*v. tr.*	verbe transitif
indéf.	indéfini(e)	*loc. verb.*	locution verbale	*prép.*	préposition	*v. tr. ind.*	verbe transitif indirect

		anglais	espagnol	grec	russe
A					
3	d'abord, *loc. adv.*	first, at first	primero, en primer lugar	κατ' αρχήν	сначала, прежде всего
7	abriter, *v. tr.*	to shelter, to house	resguardar	φιλοξενώ	укрывать/укрыть
5	(s') accepter, *v. pron.*	to accept (oneself)	aceptar(se)	αποδέχομαι τον εαυτό μου	соглашаться ; принимать себя
2	achat, *n. m.*	shopping, purchase	compra	ψώνια, αγορές	покупка
2	acheter, *v. tr.*	to buy	comprar	αγοράζω	покупать/купить
6	agresser, *v. tr.*	to attack	agredir	επιτίθεμαι	нападать/напасть
6	agressif (-ive), *adj.*	aggressive	agresivo(-a)	επιθετικός	агрессивный(-ая)
6	aider, *v. tr.*	to help	ayudar	βοηθώ	помогать/помочь
7	allée, *n. f.*	lane, path, alley	paseo, camino, sendero	αλέα, διάδρομος κήπου	аллея
5	(s'en) aller, *v. intr.*	to go (away)	ir(se), desaparecer	φεύγω	уйти
11	aller voir, *v. tr.*	to go and see, to visit	ir a ver	πάνω να δω, επισκέπτομαι	пойти посмотреть
3	aller chercher, *v. tr.*	to get	ir a buscar	πάω να φέρω	пойти поискать
5	allô, *interj.*	hello	diga	εμπρός, παρακαλώ (στο τηλέφωνο)	алло!
5	ami, *n. m.*	friend (male)	amigo	φίλος	друг
5	amie, *n. f.*	friend (female)	amiga	φίλη	подруга
5	amitié, *n. f.*	friendship	amistad	φιλία	дружба
5	amour, *n. m.*	love	amor	αγάπη, έρωτας	любовь
12	(s') amuser, *v. pron.*	to have a good time	divertir(se)	διασκεδάζω	веселить(-ся)
4	anglais, *n. m.*	English	inglés	αγγλικά	англичанин, английский язык
6	appeler, *v. tr.*	to call, to ring (up)	llamar	καλώ, τηλεφωνώ	(по)звонить
11	appétit, *n. m.*	appetite	apetito	όρεξη	аппетит
11	apporter, *v. tr.*	to bring	traer	φέρνω	приносить/принести
4	apprendre, *v. tr.*	to learn	aprender	μαθαίνω	(вы)учить
9	après, *prép et adv.*	after(wards)	después	μετά, αφού	после
8	après-midi, *n. m ou f.*	afternoon	tarde	απόγευμα	после обеда
7	araignée, *n. f.*	spider	araña	αράχνη	паук
7	arbre, *n. m.*	tree	árbol	δέντρο	дерево
2	argent, *n. m.*	money	dinero	χρήματα, λεφτά	деньги
2	argent de poche, *n. m.*	pocket money	paga	χαρτζιλίκι	карманные деньги
1	Argentine, *n. f.*	Argentina	Argentina	Αργεντινή	Аргентина
9	aristocratie, *n. f.*	aristocracy	aristocracia	αριστοκρατία	аристократия
9	arme, *n. f.*	weapon	arma	όπλο	оружие
6	arrêter, *v. tr.*	to stop, to arrest	detener	σταματώ, συλλαμβάνω	задержать, арестовать
6	arriver, *v. intr.*	to arrive, to come	llegar	έρχομαι	приехать, прийти
12	assassin, *n. m.*	murderer	asesino	δολοφόνος	убийца
12	assassiner, *v. tr.*	to murder	asesinar	δολοφονώ	убивать/убить
3	assez, *adv.*	quite, enough	bastante, suficiente	αρκετά	довольно
11	assiette, *n. f.*	plate	plato	πιάτο	тарелка
9	attaquer, *v. tr.*	to attack	atacar	επιτίθεμαι	атаковать
1	Australie, *n. f.*	Australia	Australia	Αυστραλία	Австралия
12	avis, *n. f.*	opinion	opinión	γνώμη	мнение
9	avoir l'air, *loc. verb.*	to look (like), to seem	parecer	φαίνεται, μοιάζει, δείχνει	выглядеть
5	avoir besoin de, *loc. verb.*	to need	necesitar	έχω ανάγκη	нуждаться
8	avoir envie de, *loc. verb.*	to want to	tener ganas de	έχω όρεξη, θέλω	хотеть
8	avoir raison de, *loc. verb.*	to be right	tener razón	έχω δίκιο	быть правым
8	avoir tort de, *loc. verb.*	to be wrong	estar equivocado	έχω άδικο	быть неправым
1	Azerbaïdjan, *n. m.*	Azerbaijan	Azerbaiyán	Αζερμπαϊτζάν	Азербайджан
B					
6	(se) bagarrer, *v. pron.*	to fight	pelear(se)	τσακώνομαι	драться
7	balcon, *n. m.*	balcony	balcón	μπαλκόνι	балкон
6	bandit, *n. m.*	gangster, thief	bandido, ladrón	ληστής	бандит
9	barricade, *n. f.*	barricade	barricada	οδόφραγμα	баррикада
5	beau (belle), *adj.*	handsome, good-looking	bonito(-a), guapo(-a)	ωραίος (ωραία, ωραίο)	красивый(-ая)
2	beaucoup, *adv.*	a lot, lots of	mucho(-a), muchos(-as)	πολύ	много
6	Belgique, *n. f.*	Belgium	Bélgica	Βέλγιο	Бельгия
9	bibliothèque, *n. f.*	library	biblioteca	βιβλιοθήκη	библиотека
5	bientôt, *adv.*	soon	pronto	σε λίγο	скоро
1	bienvenu(e), *adj.*	welcome	bienvenido(-a)	καλωσόρισες/καλωσορίσατε	добро пожаловать
7	biodiversité, *n. f.*	biodiversity	biodiversidad	βιοποικιλία	биологическое разнообразие
10	bizarre, *adj.*	strange	extraño(-a), raro(-a)	περίεργο	странный
9	blessé, *n. m.*	wounded (man)	herido (hombre)	τραυματίας	раненый
7	bois, *n. m.*	wood	madera	δάσος	дерево, древесина
11	boîte, *n. f.*	tin, can	lata	κουτί	коробка

4	bon(ne), *adj.*	good, right	bueno(-a)	καλός(ή)	хороший(-ая)
2	bon marché, *loc.*	cheap	barato(-a)	φτηνό	дешевый(-ая)
2	bonnet, *n. m.*	hat	gorro	σκούφος	шапочка
2	botte, *n. f.*	boot	bota	μπότα	сапог
2	boucherie, *n. f.*	butcher's (shop)	carnicería	κρεοπωλείο	мясной магазин
7	bouquet, *n. m.*	bunch, bouquet	ramo	μπουκέτο	букет
2	boulangerie, *n. f.*	baker's (shop)	panadería	φούρνος	булочная
11	bouteille, *n. f.*	bottle	botella	μπουκάλι	бутылка
8	boutique, *n. f.*	shop	tienda	κατάστημα, μπουτίκ	магазин, бутик
11	brique, *n. f.*	carton, pack	cartón, tetrabrick	χάρτινη συσκευασία για υγρά	картон
7	bruit, *n. m.*	noise	ruido	θόρυβος	шум
4	bureau (pl. –eaux), *n. m.*	office	oficina	γραφείο	кабинет, оффис

C

12	cadavre, *n. m.*	corpse	cadáver	πτώμα	труп
2	cadeau (pl. –eaux), *n. m.*	present, gift	regalo	δώρο	подарок
3	calme, *adj.*	quiet, calm	tranquilo(-a)	ήρεμος(η, ο)	спокойный(-ая)
7	campagne, *n. f.*	country, countryside	campo	εξοχή	сельская местность
1	Canada, *n. m.*	Canada	Canadá	Καναδάς	Канада
11	canette, *n. f.*	can	lata	μεταλλικό κουτί (μπίρας, κόκα-κόλας κλπ)	бутылка, пивная банка
4	cantine, *n. f.*	dining hall, canteen	comedor, cafetería	καντίνα, κυλικείο	столовая
3	caractère, *n. m.*	character, nature	carácter	χαρακτήρας	характер
7	cascade, *n. f.*	waterfall	cascada	μικρός καταρράκτης	водопад
11	casserole, *n. f.*	saucepan	cazuela	κατσαρόλα	кастрюля
10	catacombes, *n. f. pl.*	catacombs	catacumbas	κατακόμβες	катакомбы
10	cauchemar, *n. m.*	nightmare	pesadilla	εφιάλτης	кошмар
12	(à) cause de, *loc. prép.*	because of	debido a, por	λόγω, εξ αιτίας	из-за, по причине
7	ce, cet, cette, ces, *adj. dém.*	this/that/these/those	este, ese, esos, esas, esta, estas, estos	αυτός, αυτή αυτό/ αυτοί, αυτές, αυτά	этот, эта, эти
6	cent, *adj. et n.*	(one) hundred	cien	εκατό	сто
2	centime, *n. m.*	cent	céntimo	λεπτό (σεντς)	сантим
2	centre commercial, *n. m.*	shopping centre	centro comercial	εμπορικό κέντρο	торговый центр
12	chance, *n. f.*	luck	suerte	τύχη	удача
3	changer, *v. tr.*	to change	cambiar	αλλάζω	менять/изменить
1	chanter, *v. tr.*	to sing	cantar	τραγουδώ	петь
2	chaussure, *n. f.*	shoe	zapato	παπούτσι	обувь
7	chauve-souris, *n. f.*	bat	murciélago	νυχτερίδα	летучая мышь
2	chemise, *n. f.*	shirt	camisa	πουκάμισο	рубашка
2	cher (chère), *adj.*	dear, expensive	caro(-a)	αγαπητός(ή, ό) / ακριβός(ή, ό)	дорогой(-ая)
9	chercher, *v. tr.*	to look for	buscar	ψάχνω	искать
4	chimie, *n. f.*	chemistry	química	χημεία	химия
1	Chine, *n. f.*	China	China	Κίνα	Китай
7	choix, *n. m.*	choice, selection	selección	επιλογή	выбор
10	cimetière, *n. m.*	cemetery, graveyard	cementerio	νεκροταφείο	кладбище
8	cinéma, *n. m.*	cinema	cine	σινεμά	кино
8	cirque, *n. m.*	circus	circo	τσίρκο	цирк
11	(se) coiffer, *v. pron.*	to do one's hair	peinar(se)	χτενίζομαι	причёсывать(-ся)
4	collège, *n. m.*	(secondary) school	colegio	σχολείο, γυμνάσιο, κολέγιο	коллеж, средняя школа
4	comme, *adv.*	as, like, how!	como	σαν, όπως	как
3	commencer, *v. tr.*	to begin, to start	empezar	αρχίζω	начинать/начать
12	complice, *n. m.*	accomplice	cómplice	συνένοχος	сообщник
3	comprendre, *v. tr.*	to understand	comprender	καταλαβαίνω	понимать/понять
8	concert, *n. m.*	concert	concierto	κοντσέρτο, συναυλία,	концерт
4	concierge, *n. m. ou f.*	caretaker	conserje	επιστάτης σχολείου	консьерж(-ка)
5	confiance, *n. f.*	confidence, trust	confianza	εμπιστοσύνη	доверие
5	(se) confier, *v. pron.*	to confide	confiar(se)	λέω σε κάποιον τα μυστικά μου	доверять(-ся)
2	connaître, *v. tr.*	to know	conocer	γνωρίζω	знать
9	construire, *v. tr.*	to build	construir	κατασκευάζω, χτίζω	строить/построить
9	content(e), *adj.*	happy	contento(-a)	χαρούμενος(ή, ο)	довольный(-ая)
8	contre, *prép. et adv.*	against	contra	εναντίον	против
10	cool, *adj.*	cool	guay, genial	cool	классно, супер
1	copain, *n. m.*	friend (male)	amigo	φίλος	приятель
1	copine, *n. f.*	friend (female)	amiga	φίλη	приятельница
4	cour de récréation, *n. f.*	school grounds, play ground	patio de recreo	προαύλιο	школьный двор
3	courageux (-euse), *adj.*	brave	valiente	θαρραλέος, γενναίος	смелый(-ая)
8	(faire des) courses, *n. f. pl.*	(to do the/to go) shopping	(hacer la) compra	κάνω ψώνια	делать покупки, заниматься шоппингом
11	couteau (pl. –eaux), *n. m.*	knife	cuchillo	μαχαίρι	нож(-и)
2	coûter, *v. intr. et tr. ind.*	to cost	costar	κοστίζει	стоить
12	croire, *v. tr.*	to believe	creer	πιστεύω, θεωρώ, είμαι της γνώμης	верить
11	cuillère, *n. f.*	spoon	cuchara	κουτάλι	ложка

D

8	dangereux (-euse), *adj.*	dangerous	peligroso(-a)	επικίνδυνος(η, ο)	опасный(-ая)
1	danser, *v. intr. (et tr.)*	to dance	bailar	χορεύω	танцевать
7	déchet, *n. m.*	waste	basura, desecho	σκουπίδι	отбросы
12	décor, *n. m.*	scenery, set	decorado	ντεκόρ, διάκοσμος	украшение, обрамление
7	découvrir, *v. tr.*	to discover	descubrir	ανακαλύπτω	обнаруживать, открывать
10	dégoûtant(e), *adj.*	disgusting	asqueroso(-a)	αηδιαστικός(ή, ό)	отвратительный(-ая)
4	délégué(e), *n. m. ou f.*	class representative	delegado(-a) de clase	εκπρόσωπος των μαθητών	уполномоченный(-ая), депутат
5	demain, *adv.*	tomorrow	mañana	αύριο	завтра
2	dépenser, *v. tr.*	to spend (money)	gastar	ξοδεύω	(ис)тратить
10	depuis, *prép.*	for, since	desde, desde hace	από πότε; εδώ και…	начиная с
11	descendre, *v. intr. (et tr.)*	to come/go down	bajar	κατεβαίνω	спускаться/спуститься
7	désert, *n. m.*	desert	desierto	έρημος	пустыня
5	désespéré(e), *adj.*	desperate	desesperado(-a)	απελπισμένος(η, ο)	отчаявшийся(-шаяся)

1	désolé(e), *adj.*	sorry	lo siento	συγγνώμη, λυπάμαι	извините, мне очень неудобно
4	dessin, *n. m.*	drawing, art	dibujo	σχέδιο	рисунок
11	devenir, *v. intr.*	to become	convertir(se)	γίνομαι	становиться
9	devise, *n. f.*	motto	lema, divisa	σύνθημα	девиз, валюта
4	devoir, *n. m.*	homework	deber(-es)	μελέτη, δουλειά στο σπίτι	домашнее задание
6	dire, *v. tr.*	to say	decir	λέω	говорить/сказать
4	directeur, *n. m.*	head teacher (male)	director	διευθυντής	директор (м.р.)
4	directrice, *n. f.*	head teacher (female)	directora	διευθύντρια	директор (ж.р.)
6	discuter, *v. intr. (et tr.)*	to chat, to talk about	charlar, hablar	συζητώ	обсуждать, дискутировать
10	dommage, *interj.*	That's too bad!	¡Qué pena!	τι κρίμα!	как жалко!
2	donner, *v. tr.*	to give	dar	δίνω	давать
9	dossier, *n. m.*	dossier, file	dossier	ντοσιέ, φάκελος	досье, файл
9	droits de l'homme, *n. m. pl.*	human rights	derechos humanos	ανθρώπινα δικαίωματα	права человека
2	économies, *n. f. pl.*	savings	ahorros	οικονομίες	сбережения
2	économiser, *v. tr.*	to save up	ahorrar	κάνω οικονομίες, βάζω χρήματα στην άκρη	экономить
4	écrire, *v. tr.*	to write	escribir	γράφω	писать
7	écureuil, *n. m.*	squirrel	ardilla	σκίουρος	белка
10	effrayant(e), *adj.*	frightening	aterrador(-a)	τρομακτικός(ή, ό)	ужасный(-ая)
5	égal(e), *adj.*	equal	igual	ίσος(ή, ο)	равный(-ая)
5	égalité, *n. f.*	equality	igualdad	ισότητα	равенство
10	égout, *n. m.*	sewer	alcantarilla	υπόνομος	сток, канава
8	éléphant, *n. m.*	elephant	elefante	ελέφαντας	слон
4	élève, *n. m. ou f.*	pupil, student	alumno(-a)	μαθητής	ученик, студент
9	émission, *n. f.*	programme	programa	εκπομπή	передача
6	encore, *adv.*	still, more, again	aún	ακόμα	ещё раз
9	encyclopédie, *n. f.*	encyclopaedia	enciclopedia	εγκυκλοπαίδεια	энциклопедия
10	endroit, *n. m.*	place	lugar	μέρος	место
5	énervé(e), *adj.*	annoyed, nervous	nervioso(-a), molesto(-a)	εκνευρισμένος(ή, ο), νευριασμένος(η, ο)	нервный, раздраженный
8	énerver, *v. tr.*	to get on sb's nerves	poner nervioso(-a)	εκνευρίζω	нервировать, раздражать
9	enfin, *adv.*	finally, at last	por fin, al fin	τέλος	наконец
12	(s') enfuir, *v. pron.*	to run away, to flee	escapar(se), huir	το βάζω στα πόδια	убегать, сбежать
6	enlever, *v. tr.*	to kidnap	secuestrar	απαγάγω	похищать
12	enregistrer, *v. tr.*	to record	grabar	ηχογραφώ	регистрировать, записывать (на плёнку)
3	ensuite, *adv.*	then, next	después	έπειτα, μετά	после, затем
6	entendre, *v. tr.*	to hear	oír	ακούω	(у)слышать
4	(s') entraîner, *v. pron.*	to train, to practice	entrenarse	προπονούμαι	тренировать(-ся)
11	entrer, *v. intr. (et tr.)*	to enter, to go in	entrar	μπαίνω	войти
8	(avoir) envie (de), *n. f.*	to want to	(tener) ganas (de)	έχω όρεξη, θέλω να	хотеть чего-то
11	envoyer, *v. tr.*	to send	enviar	στέλνω	послать
7	escargot, *n. m.*	snail	caracol	σαλιγκάρι	улитка
1	Espagne, *n. f.*	Spain	España	Ισπανία	Испания
2	essayer, *v. tr.*	to try	intentar	προσπαθώ	пробовать
1	États-Unis, *m. pl.*	United States	Estados Unidos	ΗΠΑ (Ηνωμένες Πολιτείες)	Соединенные Штаты
4	être en train de, *loc. verb.*	to be doing sth	estar haciendo algo	κάνω κάτι αυτή τη στιγμή	быть на пути к, делать что-то
2	euro, *n. m.*	euro	euro	ευρώ	евро
6	Europe, *n. f.*	Europe	Europa	Ευρώπη	Европа
8	exagérer, *v. tr.*	to exaggerate	exagerar	υπερβάλλω	преувеличивать
6	exclure, *v. tr.*	to expel	excluir	αποβάλλω μαθητή	исключать
4	exercice, *n. m.*	exercise	ejercicio	άσκηση	упражнение
4	expérience, *n. f.*	experience, experiment (science)	experiencia	πείραμα	опыт
9	expliquer, *v. tr.*	to explain	explicar	εξηγώ	объяснять(-ить)
7	explorer, *v. tr.*	to explore	explorar	εξερευνώ	исследовать, разведывать
9	exposé, *n. m.*	(oral) report	exposición oral	προφορική παρουσίαση	отчёт, доклад
12	(se) fâcher, *v. pron.*	to get angry	enfadar(se)	τσακώνομαι, θυμώνω με κάποιον	сердить(-ся)
6	faible, *adj.*	weak	débil	αδύναμος(η, ο)	слабый(-ая)
4	falloir, *v. imp.* il faut...	you must	hacer falta, hace falta, hay que...	πρέπει	надлежать, должно, надо
10	fantastique, *adj.*	fantastic	fantástico(-a)	φανταστικός(ή, ο)	фантастический(-ая)
11	farine, *n. f.*	flour	harina	αλεύρι	мука
10	fascinant(e), *adj.*	fascinating	fascinante	πολύ ενδιαφέρον	чарующий(-ая)
3	femme, *n. f.*	woman, wife	mujer, esposa	γυναίκα, σύζυγος	женщина
8	fête foraine, *n. f.*	funfair	ferias	λούνα παρκ	луна-парк, ярмарка
4	fier (fière), *adj.*	proud	orgulloso(-a)	περήφανος(η, ο)	гордый(-ая)
3	fille, *n. f.*	girl, daughter	chica, hija	κορίτσι, κόρη	девушка, дочь
10	filmer, *v. tr.*	to film, to shoot	filmar	φιλμάρω	снимать кино
10	finir, *v. tr.*	to finish	acabar	τελειώνω	кончать, закончить
1	Finlande, *n. f.*	Finland	Finlandia	Φινλανδία	Финляндия
7	fleur, *n. f.*	flower	flor	λουλούδι	цветок
1	forçat, *n. m.*	convict	presidiario	κατάδικος	каторжник, раб
3	forêt, *n. f.*	forest	bosque	δάσος	лес
3	fort(e), *adj.*	good, strong	fuerte	δυνατός(ή,ό)	сильный(-ая)
11	fourchette, *n. f.*	fork	tenedor	πηρούνι	вилка
4	français, *n. m.*	French	francés	γαλλικά	француз, французский язык
1	France, *n. f.*	France	Francia	Γαλλία	Франция
5	fraternité, *n. f.*	fraternity	fraternidad	αδελφοσύνη	братство
2	gant, *n. m.*	glove	guante	γάντι	перчатка
3	garçon, *n. m.*	boy	chico	αγόρι	парень
3	généreux (-euse), *adj.*	generous	generoso(-a)	γενναιόδωρος(η, ο)	великодушный(-ая)
4	géographie, *n. f.*	geography	geografía	γεωγραφία	география

3	gentil(le), *adj.*	nice, kind	amable, simpático(-a), bueno(-a), majo(-a)	καλός(ή, ό)	любезный(-ая)
8	girafe, *n. f.*	giraffe	jirafa	καμηλοπάρδαλη	жирафа
7	goûter, *v. tr.*	to taste	probar	δοκιμάζω	полдник
11	gramme, *n. m.*	gram	gramo	γραμμάριο	грамм
3	grand(e), *adj.*	tall, big	grande	ψηλός(ή, ό)	большой(-ая)
3	gros(se), *adj.*	large, fat, big	gordo(-a)	χοντρός(ή, ό)	толстый(-ая), крупный(-ая)
9	guillotiner, *v. tr.*	to execute by guillotine	guillotinar	καρατομώ, αποκεφαλίζω με λαιμητόμο	гильотинировать
4	gymnase, *n. m.*	gymnasium	gimnasio	γυμναστήριο	гимнастический зал, гимназия

H

4	hall, *n. m.*	hall	entrada, vestíbulo	χωλ	холл, вестибюль
3	hanté(e), *adj.*	haunted	encantado(-a)	στοιχειωμένος(η, ο)	преследуемый(-ая), посещаемый (привидениями)
5	harmonie, *n. f.*	harmony	armonía	αρμονία	гармония
6	héros, *n. m.*	hero	héroe	ήρωας	герой
2	heureux (-euse), *adj.*	happy	feliz	ευτυχισμένος(η, ο)	счастливый(-ая)
11	hier, *adv.*	yesterday	ayer	χθες	вчера
4	histoire, *n. f.*	history, story	historia, cuento	ιστορία	история
3	homme, *n. m.*	man	hombre	άνδρας, άνθρωπος	мужчина
2	honnête, *adj.*	honest	honesto(-a)	τίμιος(ια, ιο)	честный(-ая)
6	horrible, *adj.*	horrible, terrible	horrible	τρομερός(ή, ό)/φοβερός(ή, ό)	ужасный(-ая)
9	hymne national, *n. m.*	national anthem	himno nacional	εθνικός ύμνος	государственный гимн
3	hypocrite, *adj.*	hypocritical	hipócrita	υποκριτής	лицемерный(-ая)

I

10	ici, *adv.*	here	aquí	εδώ	здесь
3	idiot(e), *adj.*	stupid	idiota	ηλίθιος(α, ο)	глупый(-ая)
9	image, *n. f.*	picture	imagen	εικόνα	изображение, картинка
3	infirmerie, *n. f.*	infirmary	enfermería	ιατρείο του σχολείου	медпункт
4	infirmier, *n. m.*	nurse (male)	enfermero	νοσοκόμος	медбрат
4	infirmière, *n. f.*	nurse (female)	enfermera	νοσοκόμα	медсестра
9	information, *n. f.*	information	información	πληροφορία	информация
9	inquiet (-quiète), *adj.*	anxious, worried	preocupado(-a)	ανήσυχος(η, ο)	беспокойный(-ая)
6	insecte, *n. m.*	insect	insecto	έντομο	насекомое
9	insurrection, *n. f.*	insurrection, uprising	insurrección	εξέγερση	(вооружённое) восстание
3	intelligent(e), *adj.*	intelligent, clever	inteligente, listo(-a)	έξυπνος(η, ο)	умный(-ая)
8	intéressant(e), *adj.*	interesting	interesante	ενδιαφέρον(ουσα, ον)	интересный(-ая), занимательный(-ая)
6	intéresser, *v. tr.*	to interest	interesar	ενδιαφέρω	интересовать, вызывать интерес
12	inviter, *v. tr.*	to invite	invitar	προσκαλώ	приглашать

J

6	jamais, *adv.*	never	nunca	ποτέ	никогда
1	Japon, *n. m.*	Japan	Japón	Ιαπωνία	Япония
7	jardin, *n. m.*	garden	jardín	κήπος	сад
12	jeter, *v. tr.*	to throw	tirar	πετώ	бросать, выбрасывать
2	jupe, *n. f.*	skirt	falda	φούστα	юбка
5	justice, *n. f.*	justice, fairness	justicia	δικαιοσύνη	справедливость, юстиция

K

1	Kenya, *n. m.*	Kenya	Kenia	Κένυα	Кения
11	kilo, *n. m.*	kilogram	kilogramo, kilo	κιλό	килограмм

L

12	là, *adv.*	there	ahí	εκεί	там, тут
7	lac, *n. m.*	lake	lago	λίμνη	озеро
5	laisser, *v. tr.*	to leave	dejar	αφήνω	оставлять/оставить
10	lampe torche, *n. f.*	torch, flashlight	linterna	φακός	фонарик
4	leçon, *n. f.*	lesson	lección	μάθημα	урок
5	liberté, *n. f.*	liberty, freedom	libertad	ελευθερία	свобода
2	librairie, *n. f.*	bookshop	librería	βιβλιοπωλείο	книжный магазин
5	libre, *adj.*	free	libre	ελεύθερος	свободный(-ая)
4	lire, *v. tr.*	to read	leer	διαβάζω	читать
4	loge, *n. f.*	lodge	conserjería	γραφείο επιστάτη	ложа
10	loup-garou, *n. m.*	werewolf	hombre lobo	λυκάνθρωπος	оборотень
3	lourd(e), *adj.*	heavy	pesado(-a)	βαρύς(ιά, ύ)	тяжелый(-ая)
7	lumière, *n. f.*	light	luz	φως	свет, огни
2	lunettes, *n. f. pl.*	glasses	gafas	γυαλιά	очки

M

2	magasin, *n. m.*	shop	tienda	κατάστημα	магазин
3	maigre, *adj.*	thin, skinny	flaco(-a), delgado(-a)	αδύνατος	худой(-ая)
9	mairie, *n. f.*	town or city hall	ayuntamiento	δημαρχείο	мэрия
3	malheureux (-euse), *adj.*	unhappy, miserable	desgraciado(-a)	δυστυχισμένος(η, ο)	несчастный(-ая)
10	malin(e), *adj.*	clever, bright	listo(-a)	τι έξυπνο! (ειρωνικό)	хитрый(-ая)
6	manquer, *v. intr. (et tr.)*	to miss	faltar	λείπει	отсутствовать, недоставать, не хватать
2	manteau (pl. –eaux), *n. m.*	coat	abrigo	παλτό	плащ, пальто
2	marché, *n. m.*	market	mercado	αγορά	рынок, базар
7	marcher, *v. intr.*	to walk	andar	περπατώ	ходить, гулять
11	mariage, *n. m.*	wedding	boda	γάμος	брак, свадьба
11	(se) marier, *v. pron.*	to get married	casar(se)	παντρεύομαι	жениться
4	mathématiques, *n. f. pl.*	mathematics, maths	matemáticas	μαθηματικά	математика
8	matin, *n. m.*	morning	mañana	πρωί	утро
3	méchant(e), *adj.*	nasty, naughty	malo(-a)	κακός(ή, ό)	злой(-ая)
6	médecin, *n. m.*	doctor	médico	γιατρός	врач
7	menacer, *v. tr.*	to threaten	amenazar	απειλώ	угрожать
12	mentir, *v. intr.*	to lie	mentir	λέω ψέματα	врать

10	merveilleux (-euse), *adj.*	marvellous	maravilloso(-a)	καταπληκτικός(ή, ό) / υπέροχος(η,ο)	чудесный(-ая), удивительный (-ая)
7	mettre, *v. tr.*	to put, to put on	poner	βάζω	положить
6	mettre le feu à, *loc. verb.*	to set fire to	dar fuego a	βάζω φωτιά σε	поджигать
6	mille, *adj. et n.*	(one) thousand	mil	χίλιοι(ιες, ια)/ χίλια	тысяча
3	moins, *adv.*	less	menos	λιγότερο	меньше
9	monarchie, *n. f.*	monarchy	monarquía	μοναρχία	монархия
7	montagne, *n. f.*	mountain	monte, montaña	βουνό	гора
11	monter, *v. intr. (et tr.)*	to climb up, get on, go up	subir	ανεβαίνω	подниматься
2	montre, *n. f.*	watch	reloj	ρολόι	часы
10	montrer, *v. tr.*	to show	mostrar	δείχνω	показывать
6	(se) moquer, *v. pron.*	to laugh at, to make fun of	reír(se) de	κοροϊδεύω	насмехаться, издеваться
9	mort, *n. m.*	dead (man)	muerto	νεκρός	мертвец, покойник
12	mort, *n. f.*	death	muerte	θάνατος	смерть
3	mourir, *v. intr.*	to die	morir	πεθαίνω	умереть
8	musée, *n. m.*	museum	museo	μουσείο	музей
4	musique, *n. f.*	music	música	μουσική	музыка
1	nager, *v. intr. (et tr.)*	to swim	nadar	κολυμπώ	плавать/плыть
7	nature, *n. f.*	nature	naturaleza	φύση	природа
4	négocier, *v. tr.*	to negotiate	negocia	διαπραγματεύομαι	договариваться, вести переговоры
3	nerveux (-euse), *adj.*	nervous	nervioso(-a)	νευρικός(ή, ό)	нервный(-ая)
9	nombreux (-euse), *adj.*	numerous, many	numeroso(-a)	πολλοί, πολλές, πολλά	многочисленный(-ая)
4	note, *n. f.*	mark	nota	βαθμός	отметка, заметка
7	nourrir, *v. tr.*	to feed	alimentar	ταΐζω	кормить
2	nouveau (nouvelle), *adj.*	new	nuevo(-a)	καινούργιος(α, ο) / νέος(α, ο)	новый(-ая)
4	nul(le), *adj.*	rubbish, useless	nulo(-a),	άσχετος(η, ο)	никакой(-ая), безрезультатный(-ая)
6	numéro, *n. m.*	number	número	αριθμός/ νούμερο	число
7	obéir, *v. tr. ind.*	to obey	obedecer	υπακούω	повиноваться
10	offrir, *v. tr.*	to give	regalar, dar	προσφέρω	дарить, давать
7	oiseau (pl. –eaux), *n. m.*	bird	pájaro	πουλί	птица
12	organiser, *v. tr.*	to organise	organizar	οργανώνω	организовывать
9	oublier, *v. tr.*	to forget	olvidar	ξεχνώ	забывать/забыть
10	ouvrir, *v. tr.*	to open	abrir	ανοίγω	открывать/открыть
2	pantalon, *n. m.*	trousers	pantalón(-es)	παντελόνι	брюки
7	papillon, *n. m.*	butterfly	mariposa	πεταλούδα	бабочка
11	paquet, *n. m.*	bag, packet	bolsa, envase	πακέτο	пакет, сверток
7	parc, *n. m.*	park	parque	πάρκο	парк
5	parce que, *loc. conj.*	because	por que	γιατί, διότι	потому что
3	paresseux (-euse), *adj.*	lazy	perezoso(-a)	τεμπέλης(α)	ленивый(-ая)
7	parfum, *n. m.*	perfume, flavour	perfume	άρωμα	запах, духи
4	parler, *v. tr. dir. et intr.*	to talk, to speak	hablar	μιλάω	говорить, разговаривать
5	partager, *v. tr.*	to share	compartir	μοιράζω	разделять, делить
11	passer, *v. intr. (et tr.)*	to pass	pasar	περνώ	передавать, проводить, пропустить
10	pas du tout, *loc. adv.*	not at all	en absoluto	καθόλου	абсолютно нет
2	pâtisserie, *n. f.*	cake shop	pastelería	ζαχαροπλαστείο	кондитерская
11	payer, *v. tr.*	to pay	pagar	πληρώνω	платить
1	pays, *n. m.*	country	país	χώρα	страна
7	paysage, *n. m.*	landscape, scenery	paisaje	τοπίο	пейзаж, ландшафт
1	Pays-Bas, *n. m. pl.*	Netherlands	Países Bajos	Κάτω-Χώρες	Нидерланды
9	pendant, *prép.*	during, for	durante	κατά (τη διάρκεια)	во время
7	penser, *v. intr.*	to think	pensar	σκέφτομαι	думать
5	perdre, *v. tr.*	to lose	perder	χάνω	терять
3	personnage, *n. m.*	character	personaje	πρόσωπο έργου	личность, персонаж
10	personne, *pron. indéf.*	nobody	nadie	κανένας, καμία, κανένα	никто
3	petit(e), *adj.*	small, short	pequeño(-a), bajito(-a)	κοντός(ή, ό) / μικρός(ή, ό)	маленький(-ая)
3	(un) peu, *adv.*	a little	(un) poco	λίγο	немного
9	peuple, *n. m.*	people	pueblo	λαός	народ, население,
3	peureux (-euse), *adj.*	fearful, timid	miedoso(-a)	φοβιτσιάρης(α)	боязливый(-ая), трусливый(-ая)
12	peut-être, *adv.*	perhaps	tal vez, a lo mejor	ίσως, μπορεί	возможно
2	pharmacie, *n. f.*	chemist's (shop)	farmacia	φαρμακείο	аптека
4	physique, *n. f.*	physics	física	φυσική	физика
2	pièce, *n. f.*	coin, room	moneda, habitación	κέρμα, δωμάτιο	комната
11	pièce montée, *n. f.*	tiered cake, wedding cake	tarta montada	γλυκό, γαμήλια τούρτα	фигурный торт, свадебный торт
8	piscine, *n. f.*	swimming pool	piscina	πισίνα	бассейн
8	plaire, *v. tr. ind.*	to like, to be liked	gustar	αρέσω	нравиться
7	plante, *n. f.*	plant	planta	φυτό	растение
11	plat, *n. m.*	dish	plato	φαγητό, συνταγή	блюдо
12	pleurer, *v. intr. (et tr.)*	to cry	llorar	κλαίω	плакать
3	plus, *adv.*	more	más	πιο, πιο πολύ, περισσότερο	больше
9	plus tard, *loc. adv.*	later	más tarde, después	αργότερα	позже
7	poisson, *n. m.*	fish	pescado	ψάρι	рыба
2	poissonnerie, *n. f.*	fishmonger's (shop)	pescadería	ιχθυοπωλείο	рыбный магазин
6	police, *n. f.*	police	policía	αστυνομία	полиция
6	policier, *n. m.*	policeman	policía	αστυνομικός	полицейский
6	pompier, *n. m.*	fireman, firefighter	bombero	πυροσβέστης	пожарный
10	porte, *n. f.*	door	puerta	πόρτα	дверь
1	Portugal, *n. m.*	Portugal	Portugal	Πορτογαλία	Португалия
8	possible, *adj.*	possible	posible	δυνατόν	возможный(-ая)
4	pour, *prép.*	in order to, for	para	για να	для

Unité	Français	English	Español	Ελληνικά	Русский
5	pourquoi ?, *adv. interr.*	why?	¿por qué?	γιατί?	почему ?
7	prairie, *n. f.*	meadow	pradera	λιβάδι	луг, лужайка
7	premier (-ière), *adj. et n.*	first	primero(-a)	πρώτος(η, ο)	первый(-ая)
2	prendre, *v. tr.*	to take, to have	coger, tomar	παίρνω	брать, взять
6	(se) préparer, *v. pron.*	to prepare, to get ready	preparar(se)	ετοιμάζομαι	готовить(-ся)
4	principal(e), *n. m. ou f.*	principal	director(-a)	ο/η γυμνασιάρχης	главный(-ая)
9	prison, *n. f.*	prison	prisión, cárcel	φυλακή	тюрьма
9	privilèges, *n. m. pl.*	privileges	privilegios	προνόμια	привилегии
2	prix, *n. m.*	price	precio	τιμή	цена
6	problème, *n. m.*	problem	problema	πρόβλημα	проблема
11	prochain(e), *adj.*	next	próximo(-a)	επόμενος(η, ο)	следующий(-ая)
9	proclamer, *v. tr.*	publish, declare	proclamar	διακηρύσσω	провозглашать, обнародовать
4	professeur, *n. m. ou f.*	teacher	profesor(-a)	καθηγητής, καθηγήτρια	преподаватель
4	projet, *n. m.*	project	proyecto	σχέδιο, πρόγραμμα	проект
8	(se) promener, *v. pron.*	to go for a walk	pasear(se)	κάνω βόλτα	гулять
2	promettre, *v. tr.*	to promise	prometer	υπόσχομαι	обещать
2	promotion, *n. f.*	special offer	promoción	ειδική προσφορά	скидки, акции, распродажи
7	protéger, *v. tr.*	to protect	proteger	προστατεύω	защищать
3	(et) puis, *adv.*	then, next	(y) a continuación, luego	στη συνέχεια, έπειτα	(и) потом
2	pull, *n. m.*	sweater	jersey	πουλόβερ	пуловер
6	punir, *v. tr.*	to punish	castigar	τιμωρώ	наказывать
Q					
1	Qatar, *n. m.*	Qatar	Qatar	Κατάρ	Катар
12	que, *conj.*	that	que	πως, ότι	что
5	quel(le), *adj.*	which? what? what!	¿Qué?, ¿Cuál? ¡Qué!	Τι (επιδοκιμαστικό)	который(-ая)
6	quelque chose, *loc. indéf. m.*	something	algo	κάτι	нечто, кос-что
8	quelquefois, *adv.*	sometimes	a veces	καμιά φορά	время от времени
10	quelqu'un, *pron. indéf.*	someone	alguien	κάποιος(α, ο)	некто
R					
6	racket, *n. m.*	racketeering	extorsión	απόσπαση με χρήση βίας χρημάτων/αντικειμένων	рэкет
6	racketter, *v. tr.*	to racketeer	extorsionar	αποσπώ με χρήση βίας χρήματα/αντικείμενα	рэкетир
6	racketteur, *n. m.*	racketeer	extorsionista	άτομο που αποσπά με χρήση βίας χρήματα ή αντικείμενα	рэкетировать
8	(avoir) raison, *n. f.*	to be right	tener razón	έχω δίκιο	быть правым
3	ramener, *v. tr.*	to bring back	traer de vuelta	φέρνω πίσω	приводить обратно, приносить
10	rat, *n. m.*	rat	rata	αρουραίος	крыса
12	réaliser, *v. tr.*	to make, to fulfil	realizar	πραγματοποιώ	реализовать, осуществлять
11	recette, *n. f.*	recipe	receta	συνταγή	выручка ; рецепт
9	recherches, *n. f. pl.*	research	investigación	έρευνα, μελέτη	исследования
12	(se) réconcilier, *v. pron.*	to make one's peace, to make up	reconciliar(se)	συμφιλιώνομαι	мирить(-ся)
10	reconduire, *v. tr.*	to take back	reconducir	φέρνω πίσω	провожать обратно, возобновить
10	reconnaître, *v. tr.*	to recognize	reconocer	αναγνωρίζω	узнавать, признавать
7	renard, *n. m.*	fox	zorro	αλεπού	лиса
2	rendre, *v. tr.*	to give back	devolver	δίνω πίσω	отдавать, возвращать
4	rentrer, *v. intr.*	to go back	volver	επιστρέφω (σε κάποιο μέρος), γυρίζω πίσω	возвращаться
12	repérer, *v. tr.*	to scout (location scout)	encontrar, detectar	κάνω ρεπεράζ, ψάχνω τους κατάλληλους χώρους για γύρισμα ταινίας	отмечать, замечать
9	république, *n. f.*	republic	república	δημοκρατία	республика
5	respect, *n. m.*	respect	respeto	σεβασμός	уважение
5	(se) respecter, *v. pron.*	to respect (oneself)	respetar(se) a sí mismo	σέβομαι τον εαυτό μου	уважать (себя)
9	ressembler, *v. tr. ind.*	to look like	parecer(se)	μοιάζω	быть похожим, походить
11	rester, *v. intr.*	to stay	permanecer	μένω	оставаться, пребывать
6	(en) retard, *loc.*	late	tarde, con retraso	με καθυστέρηση	опоздание
10	retrouver, *v. tr.*	to find, to meet again	volver a encontrar(se)	ξαναβρίσκω	находить, отыскать
11	(se) retrouver, *v. pron.*	to meet up (with)	reunir(se) con	συναντιέμαι με κάποιον	вновь встречаться
10	réussir, *v. intr. (et tr.)*	to succeed	tener éxito	επιτυγχάνω	удаваться, иметь успех
2	revenir, *v. intr.*	to come back	volver	γυρίζω πίσω	вернуться
3	revoir, *v. tr.*	to see, to meet again	ver de nuevo	ξαναβλέπω	снова увидеть
9	(se) révolter, *v. pron.*	to revolt, to rise up	rebelar(se)	επαναστατώ	побуждать к восстанию, восстать
9	révolution, *n. f.*	revolution	revolución	επανάσταση	революция
6	rien, *pron. adv.*	nothing	nada	τίποτα	ничего
11	riz, *n. m.*	rice	arroz	ρύζι	рис
2	robe, *n. f.*	dress	vestido	φουστάνι	платье
12	romantique, *adj.*	romantic	romántico(-a)	ρομαντικός(ή, ό)	романтический(-ая)
7	rose, *n. f.*	rose	rosa	τριαντάφυλλο	роза
6	Royaume-Uni, *n. m.*	United Kingdom	Reino Unido	Ηνωμένο Βασίλειο	Великобритания
7	ruisseau (pl. –eaux), *n. m.*	stream, brook	arrollo	ρυάκι	ручей
1	Russie, *n. f.*	Russia	Rusia	Ρωσία	Россия
S					
11	sachet, *n. m.*	bag	bolsa	σακούλα	пакетик
4	salle, *n. f.*	room	aula	αίθουσα, τάξη	зал, комната, помещение
4	salle informatique, *n. f.*	computer, IT room	aula de informática	αίθουσα πληροφορικής	компьютерный зал
4	salle des professeurs, *n. f.*	teachers' room	aula de profesores	αίθουσα καθηγητών	учительская, преподавательская
7	sauvage, *adj.*	wild	salvaje	άγριος(ια, ιο)	дикий(-ая)
10	sauver, *v. tr.*	to save, to rescue	salvar	σώζω	спасать/спасти
4	savoir, *v. tr.*	to know	saber	ξέρω	знать

4	sciences, *n. f. pl.*	science	ciencia	βιολογία	науки
6	secours, *n. m.*	help	socorro, ayuda	βοήθεια	помощь
5	secret. *n. m.*	secret	secreto	μυστικό	секрет, тайна
11	sel, *n. m.*	salt	sal	αλάτι	соль
8	semaine, *n. f.*	week	semana	εβδομάδα	неделя
7	sentir, *v. tr.*	to smell	oler	μυρίζω	ощущать, пахнуть, нюхать
11	serviette, *n. f.*	napkin	servilleta	πετσέτα	салфетка
12	seul(e), *adj.*	alone	solo(-a)	μόνος(η, ο)	один(одна)
12	si, *conj.*	if, yes	si, sí	εάν, ναι	если, да
8	singe, *n. m.*	monkey	mono	μαϊμού	обезьяна
9	site, *n. m.*	website	sitio web, página web	ιστοσελίδα	сайт интернета
11	soigner, *v. tr.*	to look after	cuidar	φροντίζω	заботиться, ухаживать
8	soir, *n. m.*	evening	noche	βράδυ	вечер
2	soldes, *n. m. pl.*	sale(s)	rebajas, saldos	εκπτώσεις	сезонные скидки
10	sorcier, *n. m.*	wizard	brujo	μάγος	чародей, колдун
8	sortie, *n. f.*	outing	salida	έξοδος	выход
8	sortir, *v. intr. (et tr.)*	to go out	salir	βγαίνω	выйти
12	souhaiter, *v. tr.*	to wish	desear	εύχομαι	желать
5	sourire, *n. m.*	smile	sonreír	χαμόγελο	улыбка
7	souris, *n. f.*	mouse	ratón	ποντίκι	мышка
10	souvenir, *n. m.*	souvenir, memory	souvenir, recuerdo	σουβενίρ, ενθύμιο	воспоминание, сувенир
8	souvent, *adv.*	often	a menudo	συχνά	часто
4	sport, *n. m.*	PE/sport	deporte	γυμναστική/σπορ	спорт
8	stade, *n. m.*	stadium	estadio	στάδιο	стадион
3	stressé(e), *adj.*	stressed out, tense	estresado(-a)	στρεσαρισμένος(η, ο)	нервный, в состоянии стресса
6	Suisse, *n. f.*	Switzerland	Suiza	Ελβετία	Швейцария
2	supermarché, *n. m.*	supermarket	supermercado	σούπερ μάρκετ	супермаркет
2	sûr(e), *adj.*	sure	seguro(-a)	σίγουρος(η, ο)	несомненный(-ая), безопасный(-ая), уверенный(-ая)
10	surprise, *n. f.*	surprise	sorpresa	έκπληξη	сюрприз
9	symbole, *n. m.*	symbol	símbolo	σύμβολο	символ
3	sympathique, *adj.*	nice	simpático(-a)	συμπαθητικός(ή, ό)	симпатичный(-ая)
T					
9	tableau (pl. –eaux), *n. m.*	picture, painting, board	encerado, cuadro	πίνακας	картина
11	tablette (de chocolat), *n. f.*	(chocolate) bar	tableta (de chocolate)	κομμάτι σοκολάτα	шоколадная плитка
5	tard, *adv.*	late	tarde	αργά	поздно
11	tasse, *n. f.*	cup	taza	φλυτζάνι	чашка
4	technologie, *n. f.*	technology	tecnología	τεχνολογία	технология
2	tee-shirt, *n. m.*	T-shirt	camiseta	τι-σερτ	майка
3	têtu(e), *adj.*	stubborn	testarudo(-a)	ξεροκέφαλος(η, ο)	упрямый(-ая)
5	texto, *n. m.*	text (SMS) message	mensajito, mensaje(SMS)	μήνυμα SMS	СМС
8	théâtre, *n. m.*	theatre	teatro	θέατρο	театр
11	thon, *n. m.*	tuna	atún	τόννος	тунец
9	timbre, *n. m.*	stamp	sello	γραμματόσημο	марка
3	timide, *adj.*	shy	tímido(-a)	ντροπαλός(ή, ό)	робкий(-ая), застенчивый(-ая)
5	tolérance, *n. f.*	tolerance	tolerancia	ανεκτικότητα	толерантность, терпимость
10	tomber, *v. intr.*	to fall down	caer	πέφτω	упасть/падать
8	(avoir) tort, *n. m.*	to be wrong	(estar) equivocado(-a)	έχω άδικο	быть неправым
7	tortue, *n. f.*	tortoise, turtle	tortuga	χελώνα	черепаха
7	toucher, *v. tr.*	to touch, to feel	tocar, sentir	αγγίζω	трогать, прикасаться
6	toujours, *adv.*	always, still	siempre	πάντα	всегда, по-прежнему
10	tour de magie, *n. m.*	magic trick	truco de magia	ταχυδακτυλουργικό τρικ	фокус
10	tour (du monde), *n. m.*	trip	vuelta (al mundo)	γύρος του κόσμου	(кругосветное) путешествие
11	tout, tous, *adj. et pron.*	everything, all	todo, todos	όλο, όλα, όλοι	всё, все
10	trembler, *v. intr.*	to shiver, to tremble	temblar	τρέμω	дрожать, трепетать
3	très, *adv.*	very	muy	πολύ	очень
3	trop, *adv.*	too...	demasiado	πάρα πολύ	слишком
9	trouver, *v. tr.*	to find	encontrar	βρίσκω	находить/найти
10	tuer, *v. tr.*	to kill	matar	σκοτώνω	убивать/убить
U					
6	urgence, *n. f.*	emergency	emergencia	έκτακτη ανάγκη	срочность, неотложность
1	Uruguay, *n. m.*	Uruguay	Uruguay	Ουρουγουάη	Уругвай
V					
2	vendeur, *n. m.*	shop assistant (male)	vendedor	πωλητής	продавец
2	vendeuse, *n. f.*	shop assistant (female)	vendedora	πωλήτρια	продавщица
12	vendre, *v. tr.*	to sell	vender	πουλάω	продавать
1	venir, *v. intr.*	to come	venir	έρχομαι	приходить/прийти
11	verre, *n. m.*	glass	vaso	ποτήρι	стакан
2	veste, *n. f.*	jacket	chaqueta de traje	σακάκι	куртка, пиджак
6	victime, *n. f.*	victim	víctima	θύμα	жертва
7	ville, *n. f.*	town, city	ciudad	πόλη	город
6	violence, *n. f.*	violence	violencia	βία	насилие
6	violent(e), *adj.*	violent	violento(-a)	βίαιος(α, ο)	необузданный(-ая), насильственный(-ая)
5	vive, *interj.*	long live...	viva	ζήτω	Да здравствует!
5	(se) voir, *v. pron.*	to meet up	ver(se)	βλέπομαι με κάποιον	видеть(-ся)
3	voleur, *n. m.*	thief	ladrón	κλέφτης	вор
3	vraiment, *adv.*	really	realmente	αλήθεια	поистине, правда
W					
8	week-end, *n. m.*	weekend	fin de semana	σαββατοκύριακο	уикэнд
Z					
8	zoo, *n. m.*	zoo	zoo, zoológico	ζωολογικός κήπος	зоопарк

Tableau des contenus

Unité	Titre	Objectifs de communication	Vocabulaire
Unité 1	***C'est moi !***	Se présenter, dire où on habite et d'où on vient : *J'habite à (en, au, aux)... Je viens de...* S'excuser : *Pardon ! Désolé(e) !*	Révision famille, animaux, aspect physique, affaires personnelles, couleurs, activités, nourriture, matières scolaires, sensations – Noms de pays – *copain, copine, venir de, bienvenu(e), désolé(e)*
Unité 2	***Mes achats et mon argent de poche***	Demander et dire le prix de quelque chose : *Combien ça coûte ? Ça coûte...* Exprimer une demande Exprimer la possession	Achats : *argent de poche, cadeau, euro, prix, promotion, soldes...* Commerces : *boucherie, boulangerie, centre commercial, librairie, magasin, marché, pâtisserie, pharmacie, poissonnerie...* Vêtements et accessoires – Verbes : *acheter, coûter, donner, prendre...*
Unité 3	***Mon caractère***	Se décrire et décrire quelqu'un : *Je suis sympathique. Il est timide.* Structurer son propos	Caractères et traits physiques : *calme, courageux, fort, généreux, gentil, grand, gros, heureux, hypocrite, idiot, intelligent, maigre, malheureux, méchant, nerveux, paresseux, petit, peureux, stressé, têtu, timide* – Verbes : *aller chercher, comprendre, connaître...*
Unité 4	***Mon collège***	Décrire une action en cours : *Je suis en train de...* Exprimer une obligation : *Pour..., il faut...* Exprimer l'étonnement	Le collège, lieux et personnes : *bureau, cantine, cour de récréation, gymnase, hall, infirmerie, loge, salle ; concierge, délégué(e), directeur (-trice), documentaliste, élève, infirmier (-ière), principal(e), professeur...* Matières et travail scolaire – Verbes : *apprendre, dessiner, écrire...*
Unité 5	***Mes amis***	Interagir au téléphone : *Allô ? Je pourrais parler à... ?* Exprimer la cause : *Pourquoi... ? Parce que...*	Valeurs et sentiments : *amour, amitié, confiance, égalité, fraternité, harmonie, justice, liberté, respect, sourire, tolérance...* Révision des jours de la semaine – Verbes : *avoir besoin de, s'en aller, parler à, se voir*
Unité 6	***Au secours !***	Exprimer un point de vue : *Je suis d'accord, pas d'accord.* Demander de l'aide : *Au secours ! Aidez-moi !*	Urgence et violence : *bandit, médecin, policier, pompier, racket, racketteur, victime, violence, voleur* – Verbes : *agresser, arrêter, se bagarrer, discuter, obéir, punir* – Adjectifs : *agressif, faible ≠ fort, violent...* Nombres : *cent, cent mille*, etc.
Unité 7	***Mes paysages***	Identifier : *Tu regardes quel écureuil ? Cet écureuil roux.* Rassurer : *N'aie pas peur !* Comparer : *Il est comme toi.*	Faune, flore et paysages : *araignée, chauve-souris, écureuil, escargot, insecte, oiseau, papillon, renard, souris, tortue ; arbre, bouquet, campagne, cascade, désert, fleur, forêt, jardin, lac, montagne, nature, parc, plante, prairie, rose, ruisseau* – Verbes : *goûter, sentir, toucher...*
Unité 8	***Mes sorties***	Exprimer son accord et son désaccord : *Tu as raison. Tu as tort*, etc. Exprimer son envie ou son intérêt	Lieux de sortie : *cinéma, cirque, concert, fête foraine, musée, piscine, stade, théâtre, zoo...* Moments de la journée et de la semaine – Verbes : *avoir envie de, avoir peur de, avoir raison de, avoir tort de, énerver, exagérer, plaire, se promener, sortir* – Adjectif : *intéressant...*
Unité 9	***Mes recherches sur Internet***	Accuser et rejeter une accusation Dire ce qu'on a fait Mettre en garde	Histoire et révolution : *aristocratie, arme, barricade, blessé, droits de l'homme, insurrection, mort, monarchie, peuple, privilèges, république, symbole ; bibliothèque, dossier, émission, exposé, information* – Verbes : *avoir l'air, chercher, oublier, préparer, trouver...*
Unité 10	***Des endroits bizarres***	Localiser dans le temps : *depuis cinq ans, il y a cinq ans.* Dire ce qu'on a fait (suite) Comparer	Endroits et phénomènes bizarres : *bruit, catacombes, cauchemar, cimetière, égout, loup-garou, sorcier* – Adjectifs : *bizarre, cool, dangereux, dégoûtant, effrayant, fantastique, fascinant, horrible, libre, merveilleux* – Verbes : *découvrir, finir, offrir, ouvrir, réussir...*
Unité 11	***On se prépare***	Dire ce qu'on a fait (suite) Exprimer une quantité : *un paquet..., une tablette...* Exprimer sa surprise	Contenants et quantités : *boîte, bouteille, brique, canette, casserole, gramme, kilo, paquet, sachet, tablette...* Ustensiles de table : *assiette, couteau, cuillère, fourchette, plat, serviette, tasse, verre* – Verbes : *descendre, entrer, monter, passer, rester, tomber...*
Unité 12	***On a fini !***	Dire ce qu'on a fait (suite) Exprimer une hypothèse : *Si..., c'est pour...* Annoncer la fin de qqch.	Noms : *avis, décor, personnage, scène, scénario, secret* – Verbes : *s'aider, s'amuser, croire, s'entendre, explorer, se fâcher, filmer, inviter, organiser, penser, pleurer, réaliser, se réconcilier, repérer, souhaiter...*

Crédits photographiques

0mg 1ère de couv : ph © LD/ Corbis – **0md 1ère de couv :** ph © JP Delagarde – **9 ht :** Ph. © Angelo Cavalli/AGE Fotostock/Hoa-Qui/Eyedea – **9 m ht :** Ph. © Philippe Renault/Hemis.fr – **9 m bas** : Ph. © Ian Hanning/Rea – **9 bas :** Ph. © Bruno Perousse/Hoa-Qui/Eyedea – **11 ht g :** Ph. © Jarry Tripelon/Top/Eyedea – **11 ht m :** g : Ph. © Michel Gaillard/Rea – **11 ht m : d :** Ph. © Francis Jalain/Explore/Hoa-Qui/Eyedea – **11 ht d :** Ph. © Ambroise Tezenas/Signatures – **11 bas g :** Ph. © Frederic Maigrot/Rea – **11 bas m : g :** Ph. © Patrick Forget/Explorer/Hoa-Qui/Eyedea – **11 bas m : d :** Ph. © Gilles Rolle/Rea – **11 bas d :** Ph. © Pierre Gleizes/Rea – **17 ht :** Ph. © Denis/Rea – **17 m ht :** Ph. © Pascal Sittler/Rea – **17 m bas :** Ph. © Camille Morence/Hemis.fr – **17 bas :** Ph. © Christophe Ena/Rea – **25 ht :** Ph. © ProdDB/Taurus-Fox Family/DR – **25 m ht :** Ph. © Guis/TF1/Sipa – **25 m bas :** Ph. © Prod DB-SFP-DR – **25 bas :** Ph. © Prod DB-SFP-DR – **26 :** Ph. © Carol Bayer/Photononstop – **35 ht :** Ph. © JC Pattacini/Urba Images server – **35 m ht :** Ph. © Michel Gaillard/Rea – **35 m bas :** Ph. © Ian Hanning/Rea – **35 bas :** Ph. © Patrick Allard/Rea – **43 ht :** © Editions Dargaud-DR – **43 m :** Ph. DR – **43 bas :** Ph. © The Kobal Collection/The Picture Desk – **51 ht :** Ph. © Sébastien Ortola/Rea – **51 m ht :** Ph. © Hamilton/Rea – **51 m bas :** Ph. © Alexandre Gelebart/Rea – **51 bas :** Ph. © Pierre Bessard/Rea – **55 :** BIS / © Archives Larbor – **56 ht g :** Ph. © Eric A. Sorder/Jacana/Eyedea – **56 ht d :** Ph. © Frederic/Jacana/Eyedea – **56 m g :** Ph. © Catherine Bibollet/Top/Eyedea – **56 m d :** Ph. © Franck Guiziou/Hemis.fr – **56 bas :** Ph. © Alfred Wolf/Hoa-Qui/Eyedea – **61 ht :** BIS / © Archives Larbor – **61 m ht :** BIS / Ph. Hubert Josse © Archives Larbor – **61 m bas** : BIS / Ph. Coll. Archives Larbor – **61 bas :** Ph. © Erich Lessing/AKG – **69 ht :** Ph. © Rune Hellestad/Corbis – **69 m ht :** Ph. © M. Castro/Urba Images Server – **69 m bas :** Ph. © W. beaucardet/Urba Images Server – **69 bas :** Ph. © Jean-Erick Pasquier/Rapho/Eyedea – **73 m :** Ph. © BIS/Archives Larbor – **73 bas g :** Ph. © Denis/Rea – **73 bas m :** Ph. © Michel Delluc/XPN-Rea – **73 bas d :** Ph. © Hamilton/Rea – **78 :** Ph. © E. Bartov/OSF/Biosphoto – **81 :** Ph. © Frederic Pitchal/Corbis-Sygma – **82 :** h. © François le Diascorn/Rapho/Eyedea – **87 ht :** Ph. © Emile Luider/Rapho/Eyedea – **87 m :** Ph. © Pouzet20MN/WPA/Sipa – **87 bas :** Ph. © Arnaud Chicurel/Hemis.fr – **89 :** Ph. © C. Fleurent/Sucré Salé – **95 ht :** Ph. © B. Marielle/Sucré Salé – **95 m ht :** Ph. © L. Nicoloso/Sucré Salé – **95 m bas :** Ph. © Valéry Guedes/Sucré Salé – **95 bas :** Ph. © C. Fleurent/Sucré Salé – **103 ht :** Ph. © Prod DB-DR – **103 m ht :** Ph. © Prod DB-DR – **103 m bas :** Ph. © Prod DB-DR – **103 bas :** Ph. © Prod DB-DR

Édition : Virginie Poitrasson
Couverture : Didier Thirion/Graphir design
Maquette : Pierre Cavacuiti
Mise en page : Laure Gros
Illustrations : Thierry Beaudenon, Xavier Husson, Isabelle Rifaux
Recherche iconographique : Laure Bacchetta
Photographies : Jean-Pierre Delagarde (p.3, 5, 13, 19, 29, 37-38, 47, 55, 63-64, 71, 80, 82, 90, 96-97) © Jean-Pierre Delagarde
Cartographie (couverture intérieure) : Xavier Husson

Numéro d'éditeur : 10170332 - Juin 2010
Imprimé en France par Loire Offset Titoulet